OS ESCRITORES QUE EU MATEI

# Os escritores que eu matei

## Marco Severo

1 REIMPRESSÃO

© MOINHOS, 2019.
© MARCO SEVERO, 2019.

EDIÇÃO:
CAMILA ARAUJO & NATHAN MATOS

REVISÃO:
LITERATURABR EDITORIAL

DIAGRAMAÇÃO E PROJETO GRÁFICO:
LITERATURABR EDITORIAL

CAPA:
SÉRGIO RICARDO

NESTA EDIÇÃO, RESPEITOU-SE O
NOVO ACORDO ORTOGRÁFICO DA LÍNGUA PORTUGUESA.

---

S498O
SEVERO, MARCO - OS ESCRITORES QUE EU MATEI
ISBN 978-85-45557-81-4
CDD B869.3
ÍNDICES PARA CATÁLOGO SISTEMÁTICO
1. CRÔNICAS I. TÍTULO

BELO HORIZONTE:
EDITORA MOINHOS
2019 - 152 P.; 21 CM.

---

TODOS OS DIREITOS DESTA EDIÇÃO RESERVADOS À EDITORA MOINHOS
EDITORAMOINHOS.COM.BR
EDITORAMOINHOS@GMAIL.COM

# SUMÁRIO

| | |
|---|---|
| A GENEROSIDADE DA ARTE DIANTE DA AUSÊNCIA DOS AFETOS | 11 |
| AS LEITURAS POSSÍVEIS DE UMA VIDA | 14 |
| OS CLÁSSICOS QUE VOCÊ NUNCA VAI LER | 19 |
| O AUTOR TEM MESMO QUE SE SUPERAR A CADA OBRA? | 23 |
| OU É NA IDADE CERTA OU NUNCA (?) | 28 |
| SEDUZIDO PELO TÍTULO | 33 |
| UMA ILHA DESERTA EM CHAMAS | 38 |
| INVEJA BRANCA LITERÁRIA | 43 |
| [GRANDES] AUTORES DE UM LIVRO SÓ | 48 |
| A ERA DO ESCRITOR MIDIÁTICO | 59 |
| EMPRESTAR LIVROS: UMA ARTE | 64 |
| É POSSÍVEL SEPARAR O AUTOR DE SUA OBRA? | 70 |
| O PROBLEMA DAS PRATELEIRAS | 77 |
| UMA DEFESA DO *BESTSELLER* | 81 |
| QUEM VOCÊ TEM MEDO DE LER? | 86 |
| LEITURAS DE PRÉ-MORTE | 91 |
| ENDEUSAMENTO LITERÁRIO | 95 |
| LITERATURA É FINGIMENTO OU O CARNAVAL DOS CURUMINS | 98 |
| A ZONA DE CONFORTO LITERÁRIA É ACONCHEGO | 104 |
| É MESMO BOM SER A FORMIGA? | 108 |
| ESCRITORES DEFUNTOS E SEUS RESTOS | 112 |
| MINHA CULPA, MINHA MÁXIMA CULPA? | 117 |
| O MOMENTO CERTO DE TUDO: DAS LEITURAS DA INFÂNCIA E DA NÃO-TÃO-INFÂNCIA ASSIM | 121 |
| A MORTE E AS MORTES DOS ESCRITORES QUE ADMIRAMOS | 124 |
| OS ESCRITORES QUE EU MATEI | 128 |

| | |
|---|---|
| COLOCANDO FOGO NA BIBLIOTECA | 134 |
| O LEITOR TRANSFORMADO | 138 |
| VENDER LIVRO DE PORTA EM PORTA NA ERA DA AMAZON | 140 |
| UM AMOR (LITERÁRIO) REDESCOBERTO | 142 |
| SER OS OLHOS DE ALGUÉM | 144 |
| INDEPENDÊNCIA E/É VIDA | 147 |

*A Vanessa Barbara, que pavimentou e iluminou os caminhos.*
*A Gabriela Reinaldo, amizade e afeto para além das palavras.*
*Ao Henrique, força soberana.*

*A arte de escrever é a arte de descobrir aquilo em que se acredita.*
Gustave Flaubert

## A GENEROSIDADE DA ARTE DIANTE DA AUSÊNCIA DOS AFETOS

Viver implica em acumular perdas. Do corte no cordão umbilical até os atos de ruptura mais simbólicos da infância, essa realidade inerente à vida começa cedo. Com o passar dos anos, começamos a *nos dar conta* dessas perdas, seja a perda dos pais, irmãos, amigos, a perda de direitos, a perda da própria saúde, de tempo, de espaço, de dinheiro.

Alguns se seguram através da fé, em uma entidade divina na qual eu pareço que acredito quando me convém. Sem religiosidade pelo meio, porque a religião atrapalha o trânsito de uma vida, que deve ser livre de embarreiramentos. Prefiro acreditar numa existência em que aqueles que se foram de suas vidas nesse mundo continuam, de alguma maneira, a conviver comigo. Porque no solo do meu coração cabem todos. Acreditar que meus mortos me sabem é acreditar com o coração. Só o amor nos capacita a enfrentar a ausência. O amor recebido, o amor dado, o amor que nutrimos por coisas e pessoas. Por isso escrevo, para que o amor permaneça em mim. Por mais doloridas que minhas histórias sejam, há a permanência do que nos torna humanos, e essa compreensão ajuda a que eu não me brutalize, e amplia a possibilidade do olhar para que o leitor faça o mesmo.

Há mais de meia década não vejo minha irmã. Ela está viva, morando do outro lado do mundo, mas eu não posso vê-la à distância de um toque, estando geograficamente tão longe. Como não sentir a enorme dor pela ausência do único membro da família que me conhece por todos os ângulos e a quem mais amo e por quem às vezes, com mais frequência do que gostaria, choro? Reside aí uma impossibilidade, porque a lembrança é uma maneira de nos fazer viver, e quem vive, sente. Ainda que na recusa, sente. Por isso a minha fé, que não é fé religiosa. Quando tudo está nublado aqui dentro, mudo a rota da lembrança dolorida para uma lembrança de amor. E assim me salvo de mim mesmo, que sou rocha – a um só tempo rigidez e, em essência, pó. No entanto tenho me cuidado, por mais que às vezes, tivesse eu a certeza de uma morte feliz, não me cuidaria. Me desgastaria até ir embora, eu que nasci para a esbórnia. No fim das contas é preciso mais coragem para viver do que para se deixar morrer. Então eu vivo. E não é outra coisa senão a arte que me impulsiona na direção do viver. Da minha lembrança mais antiga até as mais recentes, as diversas formas de arte foram o que estiveram aí o tempo inteiro, mostrando que a vida possível era através dela.

E viver é também um improviso. Nada faço estruturado, meu escrever, por exemplo, é um mosaico, e a sensibilidade é o que me frustra e o que me faz viver. Aceito bem esse contraditório onde construí morada, perto dele há um riacho, um pomar e outras alegrias: aceito o que em outro lugar rejeitaria como forma de compensação por ter o que tenho crescendo para todos os lados dentro de mim.

Engraçado é que gosto de contar histórias da maneira que aprendemos para entregar redações à tia Mazé, na 3ª série: meu narrar exige de mim um começo, um meio e um fim, na maioria das vezes. Mesmo que por dentro eu seja a própria tentativa de fazer arte com restos de azulejos. Vou juntando pedaços de modo a fazer com que o leitor encontre sentido no que tenho a contar, ainda que o que meus personagens façam não tenha rumo aparente. É uma forma de me organizar, de delinear caminhos para a queda d'água aqui dentro encontrar um caminho para fluir. Nunca deixo de ser labirinto mas, tal como ele, estou num espaço de chão firme, encontrável.

E vou me tateando para me encontrar, embora eu saiba que isso também é uma forma de lidar com as minhas vontades: engano-me, porque sei que esse encontro jamais se realizará.

Nascer implica em sofrimento intrínseco. Como diz Philip Roth em *O animal agonizante*: "Tarde demais, nascemos". Não há caminho de volta percorrível. Ainda bem que nascer também implica em uma miríade de contentamentos que arejam nossas dores e ajudam a nos preparar para as intempéries, que não são poucas.

O grande escritor argentino Ernesto Sabato afirma em seu livro de memórias, *Antes do fim*, que quando alguém lhe parava na rua, numa praça ou no trem para perguntar-lhe quais livros deveriam ser lidos, ele sempre respondia: "Leiam o que os apaixone, apenas isso os ajudará a suportar a existência". É precisamente aí que reside a insuperável dimensão da arte: a paixão. É a arte que nos arrebata, que evoca nossos desejos e que nos provoca, que nos mantém vivos. Não é o seu trabalho, não são as suas obrigações nem a sua falta de tempo: são as suas paixões. E a literatura (assim como o cinema, a música, a pintura, a fotografia, dentre tantas outras formas de expressão artística), quanto a isso, é mestra inconteste.

Sim, uma vez do lado de cá, não se tem notícia do ser humano que passou pela vida incólume. Caminhamos pela simples certeza de que os dias se impõem uns aos outros e assim, cria-se o enovelado de nossas biografias. Por isso esse ato de andar pela arte nos aumenta o viver; ela também mostra os percursos que nos agregam dias de vida, seja nos de explosão de alegria, seja nos que determinam desfechos, caminhamos porque, mais do que ser o que se espera de nós, é o que esperamos de nós mesmos, ora por estradas em melhores condições, ora noutras sofríveis, até chegar não aonde se quer, mas aonde é preciso que a gente chegue.

# AS LEITURAS POSSÍVEIS DE UMA VIDA

Vivemos por nossas obsessões.

No limiar entre a neurose e a completa paranoia, criticadas como sejam, são elas que nos salvam. Refiro-me aqui, claro, àquelas pequenas coisas que fazemos constantemente, com uma frequência que libera endorfina, serotonina e todos esses neurotransmissores que tornam a vida um pouco mais leve.

Imagine o que seria viver sem a ajuda dessas repetições que fazem de nós pessoas capazes de viver em sociedade. Sim, eu digo isso porque, se fôssemos privados dos nossos pequenos prazeres, é certo que o mundo teria muito mais criminosos do que tem atualmente.

Pois bem: andaram fazendo um cálculo e descobriram que, se nós lêssemos um livro por semana até os 80 anos, o máximo que conseguiríamos ler entre os 15 e os 80 seria o total de 3510 livros.

Isso significa que se eu parasse de comprar livros *hoje*, ainda assim não daria conta de ler tudo o que tem na minha biblioteca pessoal. E que fique claro que a possibilidade de nunca mais comprar nada e ler apenas o que já tenho está fora de cogitação.

Pausa para o momento da depressão. Fôlego novo. Avante.

O assunto já me ocorrera, mas só quando vi uma postagem da escritora Socorro Acioli sobre ele no Facebook, foi que decidi ser a hora de escrever a respeito: o quanto se pode ler numa vida, e qual a importância de sermos seletivos ao escolhermos uma leitura? – Ou mesmo se isso de fato é relevante para o leitor, seja durante sua formação ou se quando este finalmente dar-se conta de que o tempo que tem para fazer tal leitura é esquálido.

Então, vamos às inquietações, que são muitas.

Quando eu era mais jovem, o hábito de ler tudo o que aparecia pela frente fez com que eu me tornasse um glutão literário. Apareceu, eu devorava. Mas isso foi no tempo do antes – quando esse tipo de comportamento se faz até necessário, eu diria.

Com o passar dos anos, entretanto, ler se torna uma peleja árdua e contínua. Quantos não conhecemos que se utilizam da clássica "Eu não leio porque não tenho tempo"? Ou então a variação dela: "Já li muito na vida, mas com essa correria do *dia a dia, não posso mais*". *São os que sucumbem pelo caminho*. Mas podemos culpá-los de todo? Nem todo mundo nasceu para ganhar guerras. E se tem um negócio aflitivo hoje em dia, é equilibrar a obrigatoriedade de uma vida dinâmica (trabalho, casa, redes sociais) a pessoas ao redor cada vez mais carentes e ainda arranjar tempo pra ler.

Até uma certa idade quando as obrigações são menos conflitantes, tudo bem. Depois que a avalanche faculdade-emprego-relacionamento-família (ou suas inúmeras variações) começa a descer a montanha com tudo atrás de você, é correr pra não ser pego.

E há quem consiga. Eu me obrigo a conseguir, porque de algumas lutas jamais abrirei mão. Ler e escrever, por exemplo.

Só que há um momento em que essa máquina compressora de livros se desgasta. É quando ela dá lugar ao ser humano, que com um pouco mais de sabedoria, faz escolhas baseadas no desejo, sem dúvida, mas num desejo que almeja a fruição, e não apenas o prazer imediato – ou a quantidade.

Nietzche disse no seu *Assim falou Zaratustra*: "Mastigar e digerir tudo – essa é uma maneira suína". Comparar o leitor que lê qualquer coisa como se não houvesse amanhã a porcos é a maneira mais clara de afirmar que quem tudo ingere, corre o risco de ingerir dejetos.

Eu não estou falando aqui de quem, na tentativa de reviver um amor antigo, decide-se por fazer um *revival* que, seja com livro ou com pessoas, quase sempre termina em tragédia. Outro dia resolvi pegar pra ler um autor que tinha sido uma verdadeira febre pra mim na adolescência, quase vinte anos depois de tê-lo lido pela última vez. Resultado: abandonei o livro nas primeiras páginas, com a sensação de que dos 14 aos 19 só perdi meu tempo.

Por esse mesmo motivo não releio livros que amei desbragadamente em outras épocas. Não incorro mais no risco de macular a imagem que tenho de um velho amor. O livro continua o mesmo, o que mudou foi meu eu leitor. Não funciona mais. Qual a necessidade da releitura, então?

Voltando àquele cálculo, temos de pensar também que o leitor que busca a leitura pelo seu valor não vai ler como quem se apressa para cumprir uma meta. Antigamente, num ano de leituras em que eu não atingia a média de livros que leio em 365 dias, ficava chateado. Atualmente, embora eu continue com a mania de anotar todos os livros que leio, sei que, se eu ler 27 num dado ano ao invés de 40, isso não terá a menor diferença. Talvez eu me pergunte o que teria acontecido pra eu ler bem menos, lembre dos motivos e só. A vida segue e no ano seguinte já será um outro arquivo com as leituras recomeçando pelo número um.

Ninguém aprende a selecionar de uma hora para outra. Basta olharmos em nossa volta e percebermos não apenas as porcarias que os outros fazem de/em suas próprias vidas, mas as nossas também. Quantas vezes tivemos a *certeza* de que estaríamos mortos se arrependimento matasse? Mas aprendemos. A maioria de nós, pelo menos. E sem essa de apontar o dedo para a leitura do outro. Os níveis de leitura e as necessidades leitoras variam; assim, embora nós adoremos criticar quem passa a vida na literatura erótica e endeusar quem só lê clássicos, cada qual está usando seu filtro, seus parâmetros. E enquanto a literatura for capaz de fazer alguma coisa pela vida de alguém, não importa se ela atende pelo nome de Mr. Grey ou de Dom Quixote. Não é isso que está em questão aqui.

Ainda hoje me sinto perdido quando vou a uma livraria. Não raro, circulo pelos mesmos espaços inúmeras vezes, na esperança de que um livro que estava dormindo, quando eu passei por ele da primeira vez, pule no meu colo na segunda. E sabe-se lá se esse dito livro não será capaz de mudar algo no que existe de mais entranhado em mim?

Agora, seja lá como for, não podemos emporcalhar nossa vida literária. Lê o que te apetece, mas não te obrigas a ler o que não está na hora de ser lido (e pode ser que nunca será). Dê um prazo ao livro. Se ele não te seduzir, passe para outro. A vida é curta demais pra nos obrigarmos a ler uma obra que não nos toca.

E isso nos traz a uma abrangente questão: a consciência da passagem do tempo nos torna mais criteriosos quanto ao que ler? Possivelmente. Quem sabe que já viveu, digamos, mais da metade de um século pode começar a ter seus parâmetros: todos os livros do seu autor favorito, tudo o que considerar bom sobre um determinado tema, a literatura de um determinado país ou região... as possibilidades são muitas. Poder explorá-las, uma dádiva que só a sabedoria trazida pelo tempo é capaz de instaurar.

Se uma das razões por estarmos vivos é podermos nos tornar seres humanos melhores para, assim, fazermos a diferença para nós mesmos e para o mundo, não podemos abdicar de nossos parâmetros. Nossa vida é pautada por eles, seja de forma autoimposta ou porque o próprio ato de viver nos impõe. E ler é um ato transformador. Trazer para si boas leituras é também uma maneira de presentear a própria vida. Fazê-lo de forma sábia é a forma de agradecer a oportunidade que nos foi dada de estarmos no mundo e podermos fazer usufruto da ideia dos outros para que aquilo nos ilumine onde jamais luz nenhuma chegou. Seja lá no que se acredite – ou não – pertencer a uma espécie tão frágil e ainda assim ser capaz de existir quando tanta coisa nos diz não, é por si só algo sobrenatural, belo e transcendente.

Viver a experiência requer tempo, paciência e portas abertas para se deixar tocar. Aos poucos, o livro vai se tornando um cúmplice. E convenhamos: sexo com amor é muito mais gostoso.

# OS CLÁSSICOS QUE VOCÊ NUNCA VAI LER

Todo mundo começa a vida de leitor de forma errática, entre tateando e experimentando de tudo, e não há problema algum nisso, nem motivos para colocar as mãos na cabeça e se perguntar "Ó Deus, por que eu li toda a coleção da Agatha Christie aos 15 anos, quanto tempo desperdicei!" e bobagens do gênero. Você não desperdiçou nada. Você leu toda a Agatha Christie aos 15 (ou Sidney Sheldon, ou Danielle Steel, ou Robin Cook) justamente por isso: porque você tinha quinze anos. Lamenta-se, mas passar por isso aos quinze é não apenas aceitável, é compreensível. Difícil é entender aquele seu colega que, com o dobro disso ou mais, continua nisso ou naqueles que vieram nas gerações seguintes, como Marian Keys ou Nicholas Sparks.

Acontece que, *geralmente*, vamos apurando o nosso gosto e perfil literário ao longo da vida. Conhecemos pessoas que nos apresentam obras que nos fazem questionar tudo aquilo que aprendemos a colocar em xeque; quando não, questionam a nós mesmos. Passeamos por livrarias, bibliotecas, pelo Google. Professores nos mostram obras, enfim, as possibilidades são inúmeras.

Assim é que, quando menos nos deparamos, estamos lendo outras coisas, numa transição que vai se dando ao natural.

Ressurgem, então, os clássicos. Digo ressurgem por uma razão óbvia. Se você nasceu no Brasil, já se deparou com eles em algum momento da vida estudantil. Ou pelo menos com a *ideia* deles. Quem nunca foi obrigado a ler Machado de Assis, José de Alencar? Claro que eles não são clássicos universais, comumente aceitos entre o cânone ocidental, mas são clássicos brasileiros. Se duvidar, é por causa deles que muitos colegas e amigos seus odeiam ler até hoje. Mas não é desse tipo de clássico que estou falando.

Estou me referindo aos clássicos que você quer – ou diz que quer – mas nunca vai ler.

Vamos refletir um pouco: o mundo editorial lança milhares de livros por ano. As tentações são muitas. As oportunidades, idem. Aqueles grandes autores contemporâneos que você tem por ler sendo amplamente discutidos, e você vai se debruçar sobre *Guerra e Paz*? Sei.

É lindo sair dizendo por aí que você ainda não leu *Ulisses*, mas que "morre de vontade". Isso faz você parecer inteligente, e ainda por cima, humilde. "O cara lê muito, excelente leitor, mas ainda não leu *Ulisses*, embora queira muito. Coitado, com essa vida corrida dos dias de hoje...". Pronto, fez-se um candidato a gênio.

Convenhamos: você já teve que ler muito sobre esses clássicos pras aulas de literatura. Já tirou a nota que precisava pra passar de ano. Agora, você quer mesmo é se livrar, ler por puro diletantismo. No máximo, se você tem boa memória, guardou na mente o suficiente do que teve que ler pras provas pra sair vomitando em mesa de bar como grande sabedoria. Afinal, quem é que aguenta ler um calhamaço como *Anna Kariênina* ou vencer as milhares de páginas até de um mais contemporâneo, como *Em busca do tempo perdido*? Esses heróis são raros.

Além do mais, hoje em dia, pra tudo tem um filme. Quando não é um filme baseado no clássico, o que talvez fizesse as plateias contemporâneas bocejarem bovinamente durante duas horas e meia, temos uma versão moderna, repleta de reviravoltas, *livremente baseada em* (coloque aqui o nome do seu clássico).

E esses são argumentos absurdamente válidos (diferente daqueles palermas que conhecemos cuja boca só abre pra dizer "eu não leio porque não tenho tempo"). São válidos porque a forma como exercemos a vida nos últimos trinta anos está errada. Absurdamente errada. Quanto mais inventamos coisas para facilitar nosso dia a dia, menos tempo temos pra nós mesmos. E se isso faz sentido pra você, então pode parar de ler esse texto aqui mesmo e ir tomar seu Diazepam, porque já deve estar passando da hora.

Ainda assim, estarmos vivos não nos exime da culpa de vivermos, ainda que essa vida seja aleatória e sem sentido. E de nos permitirmos ser puxados por todo esse redemoinho que nos leva pro fundo do oceano com uma corrente amarrada a uma bola de aço presa à perna. Nos permitimos entrar nessa roda-viva porque aparentemente, ou fazemos isso ou não sobrevivemos ao mundo. E a vida vai ficando cada vez mais irreal. Ou surreal.

O que nos faz dar a tal desculpa da falta de tempo. Ou de que literatura boa é a "mais dinâmica", que faz você escapar do mundo real. Que seja. Mas chamar isso de literatura é um pouco muito. No máximo, chega a ser entretenimento, isso dá pra conceder.

Mas a verdade é que nos permitimos não ler os clássicos porque, ao que consta, a vida não deixa.

Ou porque são de uma enorme chatice, mesmo. De uma maçada sem fim. Passamos até a nos perguntar: como é que alguém escreve, em sã consciência, um romance de 800 páginas, mil páginas? Daí lembramos que no tempo de Tolstoi, Dostoievski, Homero, Camões, Dante, Boccaccio, não havia televisão. Ah, está entendido, então. Tanto havia quem escrevesse como quem realmente *lesse*.

Entretanto...

A sensação que temos é a de que, se formos considerados "bons leitores", seja lá o que isso for, é preciso ler os clássicos. Não um nem dois, mas precisamos dizer por aí que *Crime e castigo* "está nos planos", que "eu não posso morrer sem ler

*A divina comédia*", que "James Joyce é complexo, mas não instransponível, e que ele está nos planos da leitura do ano!". E, sabemos bem, o nome disso é autoengano. É você contando pra você mesmo que você tem um plano a ser executado que na verdade você não tem *a menor vontade* de executar.

Só que isso não torna você um leitor menor. Não ler clássicos não quer dizer que você está fadado a consumir *bestsellers* de bancas de jornal. Não dizem que a virtude está no meio? Sim, você pode continuar sendo um excelente leitor de outros grandes autores, autores laureados com grandes prêmios. Mas clássicos, não, não são pra você. É melhor admitir isso do que ser hipócrita e carregar aquele livro pesadíssimo com a capa virada pra cima e muito bem colocada no colo dentro do ônibus, pra todo mundo ver o quão inteligente você é. E hipócrita, porque, via de regra, ou você lê e não entende nada, ou desiste antes de metade.

A verdade é que os clássicos continuarão a existir nas bibliotecas ao redor do mundo, e continuarão a ser vigorosamente estudados e recomendados.

Mas também continuarão fadados a serem adquiridos em versões lindas, luxuosas, prontas para serem colocadas na prateleira da sala e relegadas ao mais completo esquecimento.

Clássico que é clássico, não perdura no mundo pra ser lido, mas pra ser usado como enfeite na sala, como questão de prova de literatura e, sobretudo, como assunto pra se fazer parecer mais inteligente numa roda de amigos literatos, pra os que têm a necessidade de simularem grandeza tornando outros menores.

Clássico que é clássico perdura, apesar dos seus pretensos e incautos leitores.

# O AUTOR TEM MESMO QUE SE SUPERAR A CADA OBRA?

Em 2010, a escritora portuguesa Inês Pedrosa lançava seu romance *Os Íntimos* e por conta disso concedeu várias entrevistas. Numa delas, perguntaram-na se ela conseguia analisar o que havia mudado em sua escrita desde a publicação de *Fazes-me falta*, romance de 2002. A autora respondeu:

"Na realidade, no Brasil, se tem passado uma relação um pouco embaraçosa para um escritor. Eu apareci no Brasil com o livro que eu tinha publicado naquela época e depois começaram a publicar meus livros anteriores. Claro que um escritor prefere que comecem a publicar pelo primeiro porque, em princípio, se não pensasse que vai evoluindo deixava de ser escritor. Nós temos sempre essa ideia de que vamos crescendo a cada livro. Eu não tenho tanto essa ideia porque, infelizmente – meio na brincadeira, mas meio a sério – depois de ter publicado *A eternidade e o desejo*, que é o romance que publiquei cronologicamente depois do *Fazes-me falta*, há pessoas que dizem, depois de ler esse livro: 'Gostei muito, mas o *Fazes-me falta* que é o livro...'"

Gosto (muito) da Inês Pedrosa. Acho-a uma das vozes mais plurais da atual literatura lusa. Ela não apenas escreve de uma maneira poética – ela sabe fazê-lo, e bem. Seus personagens, sempre construídos de maneira profunda, dão-nos a dimensão da humanidade, e suas tramas, que sempre incluem o amor e a quebra do ideal desse amor no que concerne àquilo que nos torna quem somos, são sempre amplas, arejadas e mantêm uma dinâmica que enfeixa tudo e todos em conclusões densas e gratificantes.

Mas ela me pareceu "a cara" do ressentimento. E eu consigo entendê-la. É mesmo bem natural que alguém que ganha a vida escrevendo, imagine que seus escritos devam seguir numa parábola ascendente. Nem poderia ser diferente, afinal. Se a sua pretensão não é ser um James Patterson ou uma Sylvia Day (aliás, que sobrenome apropriado), que não visam outra coisa a não ser suas contas bancárias, é compreensivo querer que, após dois, três, quatro ou mais anos trabalhando em um romance (ou livro de contos, crônicas, o que seja), seu autor deseje que aquela obra seja melhor do que a de anos atrás.

Pergunto-me, entretanto, o quanto disso também não é uma pressão da parte dos outros. Já que vivemos num mundo onde o normal é nos cobrarmos ensandecidamente – como se não bastassem nossos colegas, amigos, pais, cônjuges, vizinhos e, por vezes, até o cachorro – parece meio "errado" não querer sempre escrever melhor, quase como sinônimo do seu *ser* melhor. No fim das contas, um pouco da nossa ambição na vida passa por querermos sair dela melhores do que quando aqui chegamos. Nisso não diferem, por exemplo, as bandas que não topam uma reunião depois de não sei quantos anos paradas. Não me refiro aqui àquelas bandas que, se juntar todo mundo novamente num palco, o mais provável é que eles se matem uns aos outros, ou bandas que o fazem única e exclusivamente pela grana – não é desses. E quanto a isso, os escritores parecem ter mais pudor. Refiro-me àqueles que têm medo das comparações. Alguns deles não topam porque sabem que a mídia e o público vão massacrá-los. Seja porque não possuem mais a voz que um dia tiveram, ou porque já não se têm mais a mesma habilidade com certos instrumentos, o certo é que eles não voltam e ponto final.

Para um escritor, retornar é sempre o que se espera deles. Espera-se que sua voz (silenciosa, mas que pode ressoar em todos os cantos do mundo) esteja mais límpida e clara. Podem se passar muitos anos de um livro para o outro, mas se o escritor tiver algo a dizer, ele voltará a dizê-lo. Claro que o mesmo vale para bons cantores – desde que não temam a comparação.

    E é o temor pela comparação que me fez questionar. Parece a mim que na pós-modernidade vivemos numa época em que tudo parece nos pressionar. Deixamos de ter as obrigações bíblicas do "crescei e multiplicai", quando essa frase só era entendida como virar adulto e ter filhos (hoje em dia, inclusive, se vive cada vez menos a "ditadura" do "ter que ter" filhos, assim como a do próprio casamento, e optamos por outras modalidades de união a dois, que podem nem ser sob o mesmo teto e não ter que se pisar numa igreja), para termos a obrigação de produzirmos em massa. Estamos cada vez mais automatizados, e essa constante no nosso dia a dia, além de nos exaurir, tira a essência do que somos: seres capazes de florescer na destreza do ato criador, de observarmos o mundo ao redor, de fazermos uma leitura menos visceral e mais orgânica do que representa para nós o estar no mundo.

    A capacidade de sentirmos o de-dentro de cada coisa ou pessoa vem sendo substituída pela objetividade, pela impaciência e intolerância – e as consequências disso tudo. Está cada vez mais atual o alienista Simão Bacamarte, de Machado de Assis, que apontava o dedo para quem ele julgava ser louco, mandando prender em sua Casa Verde, quando, na realidade, o louco só podia ser ele próprio. Julgamos os outros com a rapidez do pensamento e esquecemos que as verdades são múltiplas e dependem de variantes e variáveis.

    Assim, por que a cobrança autoimposta? Por que esperar tanto de si próprio? A mim, parece que é algo como esperar que o filho mais novo seja mais bem-sucedido que o filho anterior: é impossível predizer, e lançar um filho ao mundo não depende unicamente de si. Da mesma maneira, nem um livro. Posso escrever uma grande obra e publicá-la, e daqui a três anos publicar uma outra que me tomou esses mil e tantos dias para criá-la e, nesse período, ter passado por turbulências e mudanças que sem dúvida terão afetado o processo criativo da obra que agora vem a lume.

É bom pensar que se vai evoluindo quanto às próprias obras? Claro que é. Mas deixar de ser escritor por não sentir que se evolui é um pouco dramático. E Inês Pedrosa não é a única. Já vi inúmeros autores responderem, quando lhe fazem a paupérrima pergunta, "qual dos seus livros você prefere?", dar como resposta a desgastada frase "o mais recente". Poucos escapam desse clichê. Uns fazem uns enxertos com umas firulas, tentam explicar o porquê, mas é só. No fim das contas, defendem essa ideia um bocado tosca de quem, na verdade, não quer se comprometer e acabar incorrendo no risco de fulminar as vendas da obra mais recente.

Um autor tem que ter o compromisso de ser *o melhor possível naquele momento*, e só. Mais do que isso é tentar brincar de Deus para além da criação literária, uma vez que ninguém consegue ser senhor de si o suficiente para ter a certeza de que se superou. Evidentemente, entra aí o ego, além das próprias limitações de cada escritor. Além do mais, só o tempo irá determinar o que vai e o que fica de cada autor. Perguntem a qualquer leitor qual a primeira peça de Shakespeare de que se lembra, qual a primeira obra de Machado de Assis que lhes ocorre, qual o primeiro livro de Guimarães Rosa que vem à mente? Na ordem, as respostas mais prováveis serão *Romeu e Julieta*, *Dom Casmurro* e *Grande Sertão: Veredas*. Isso significa que as outras peças de Shakespeare não são tão boas? E o que dizer do Machado de Assis contista, será ele menos digno de nota do que seu romance cultuado? Isso sem falar nos seus outros romances famosos... E quanto ao Rosa, *Primeiras Estórias, Sagarana e Tutameia* são livros "menores" do que aquele que é considerado seu *magnum opus*?

Tudo isso é arbitrário, essa é que é a verdade. Nossas escolhas literárias favoritas, aquilo que elegemos como o nosso cânone pessoal, passam por uma série de fatores, que é a essência de tudo aquilo que nos compõe ao longo das nossas vivências. Não somos como o vinho, que passa por processos pré-determinados para se chegar a um sabor melhor, mais refinado e sofisticado.

Nossa substância é a vida, não há razão plausível para um autor cobrar tanto de si (ou nós cobrarmos deles ou de nós mesmos ao escrevermos nossas vidas perante o mundo). O que se faz hoje é o tangível. O que determina o amanhã, ou o nunca, é o tempo.

# OU É NA IDADE CERTA OU NUNCA (?)

Eu devia ter uns 15 anos quando a Companhia das Letras publicou *O mundo de Sofia*. Como sempre fui comprador compulsivo de livros, comprei-o imediatamente, mas deixei-o de lado. Eu provavelmente estava lendo alguma(s) coisa(s) mais interessante(s), e encostei o tijolo por um tempo. Só que, não demorou muito, o livro começou a figurar na lista de todos os *bestsellers* Brasil afora, e aí foi que eu perdi totalmente a vontade de lê-lo. Julguem-me.

Mas eu devo ter alguma ascendência na família Calcutá (a bênção, Madre Teresa!), porque minha veia altruísta é forte. Estou pra ver, até hoje, alguém que empreste ou doe mais livros do que eu. Isso significa que o livro começou a viajar pra casas e mais casas, e eu quase não o via. Mal retornava às minhas mãos, já tinha outra casa pra onde ir.

O tempo passou, eu li um ou dois outros livros do autor deste livro, mas o que o tornou famoso propriamente dito, nada.

Eu nunca o segurava o suficiente. Se havia alguém que desejava lê-lo, eu deixava passar a "minha vez", tranquilo. O fato é que só li o tal *O mundo de Sofia* mais de dez anos depois. O livro já tinha rodado nas mãos de metade dos leitores da cidade, menos na minha. A capa já estava meio desbotada, havia cheiros que eu não reconhecia dentro dele, uma mancha na lombada, o papel escurecido... mas era o meu exemplar, que eu comprara estalando de novo mais de uma década antes. Resolvi que era chegada a hora. Finalmente, eu ia poder voltar no tempo e ler aquele livro com a ansiedade de todos os que o leram antes, fosse pelo desejo de conhecer um pouco mais sobre filosofia, fosse pela fama do livro, não importa: eu ia me colocar no lugar deles, sentir o que sentiram!

Só que não senti. Achei o livro, no máximo, "bacaninha". Aliás, compreendi o que significa a expressão "cult-bacaninha" depois de ler este livro. Não, isso não está explicado nele. Mas ao lê-lo, subitamente, a explicação se deu. *O mundo de Sofia* é um livro cultuado por não sei quantas mil pessoas que nasceram na década de 80 e viram naquele romance algo maravilhoso, que eu não pude enxergar. E não pude fazê-lo por um motivo muito claro, que eu quero dizer logo de cara e comento melhor depois: *minha época de ler aquele livro já tinha passado*. Já era. Se foi. *Tchau*.

Acontece que o livro *é sim* muito bom. É enfadonho em muitos momentos; se fosse escrito nos dias de hoje, iam dizer que o autor tinha recortado e colado direto da Wikipédia, porque parece mesmo um amontoado retirado de uma enciclopédia e enfiado no meio de um romance. Inúmeras páginas dão a impressão de se estar lendo a enciclopédia Barsa guardada naquele quarto aonde nem as baratas vão mais, mas onde já se pode perceber o mofo da porta.

Esse não é um mérito apenas do monumental romance de Jostein Gaarder. Afinal, não estou tratando aqui da incapacidade de fazer uma leitura com olhos mais jovens. Não é nada disso.

Peguemos, por exemplo, aquela turma da geração *beat*. Jack Kerouac tem sido supervalorizado há anos. Philip Roth disse, e eu repito: "Ele não passa de um narrador banal, um eterno adolescente". E não há mal nenhum nisso, desde que você não seja mostrado para o mundo literário, ou vendido pros jovens imberbes como mais do que isso. Ler aquele *On the road* com mais de vinte e cinco anos lhe deixará com a sensação de que você passou horas lendo um livro bobo, de uma incapacidade criativa colossal, de uma pobreza capaz de fazer chorar trogloditas encontrados em bares no interior do Ceará. Kerouac fez um registro tosco de coisas que vivenciou, numa época em que era o que quase todo jovem norte-americano fazia. Se não ir pra estrada, mas extravagâncias com bebida e carros. Que que há de tão interessante ou transcendente nisso? Ah, tem uma coisa realmente digna aí: o marketing feito em cima dele. E só. Faça as contas de quantos livros dessa tal *geração beat* sobreviveram ao tempo, de serem lidos através das gerações, recomendados etc. Se você juntar títulos o suficiente pra caber nos dedos de uma só mão, dê graças a Deus. Até os 18 anos, primeiro ano da faculdade, vá lá. Depois disso, há coisas melhores pra ler e a vida é curta, esqueça-o(s).

Isso pra não falar do cultuado e mitificado J. D. Salinger e seu *O Apanhador no Campo de Centeio*. Claro que a literatura não tem que ser, unicamente, uma via de identificação. Quem busca a literatura com este fim deveria era fazer análise. Publicado em 1951, o livro ficou popular entre jovens por tratar de temas caros à adolescência, como rebeldia, raiva e alienação social e pessoal. Custa-me acreditar que um livro com aquela linguagem tão imberbe tenha sido originalmente escrito para adultos. E, sinceramente, ler esta obra depois dos 21 não deixa de ser válido, mas, assim como acontece com *O Mundo de Sofia*, o livro perde o brilho. Fica chato, maçante e pueril.

Outro que vai nesse mesmo caminho é o Luís Fernando Veríssimo. Você cresceu lendo *As mentiras que os homens contam, Contos para ler na escola, Todas as histórias do analista de Bagé*, verdadeiras febres nas listas dos mais vendidos nos anos 90? Tranquilo. Continuar achando esse cara genial, passada aquela idade em que já se supõe um pensamento crítico, é sinal de porrada na cabeça ao esquiar na neve. Sempre que me lembro, pergunto-me *como* este homem ganhou o prêmio Jabuti. *Como?!* Ah, claro: ele era o segundo lugar que foi elevado a primeiro quando o livro do Sérgio Sant'Anna foi desclassificado por ter tido algumas partes publicadas antes e a premiação exigir ineditismo total. Por qual motivo o pessoal da premiação não averiguou o ineditismo de todos os concorrentes antes de pagar esse mico é uma questão intrigante, mas como *raios* é que alguma coisa deste homem é cogitada pra uma premiação é que é o grande enigma da vida. A ficção do Veríssimo filho é uma soma de ideias engraçadinhas com um passável senso de atualidade, diálogos que lembram as comédias pastelão da década de 50 e 60 e finais pífios. Fica claro que se premia a "marca" LFV e não a qualidade literária, obviamente. Mas vá lá que seja interessante lê-lo em determinado momento da vida (até ali um pouco antes dos quinze anos, dezesseis anos no máximo). Não tem como negar que ele desperta o interesse na leitura, sua escrita é sedutora, e ele é um excelente criador de tipos. Mas é um tesão casual, diferente de um amor pra vida toda, que exige outros tipos de atributos que ele não tem nem nunca terá.

Quando eu entrei pra faculdade, achava o máximo ficar conversando com tantas pessoas descoladas e interessantes sobre literatura. Eu estava na área de humanas, a certeza de encontrar gente interessada em ler por metro quadrado era bem maior do que se eu fizesse matemática ou química industrial, convenhamos. E eu estava que nem pinto no lixo por isso. Conversa vai, conversa vem, descobri um autor que aqueles jovens idolatravam: Charles Bukowski. Meus colegas de curso atiravam-se aos livros do Velho Buk, como chamavam com carinho, intimidade e reverência. Todos homens, diga-se de passagem, porque eu ainda estou pra conhecer uma mulher pra lê-lo com o mesmo afinco e determinação. Bukowski escreve bem!, me dirão. Bukowski é poeta!, acrescentarão. E eu concordo. Ele escreve bem. A literatura dele não é apenas sedutora, não busca apenas aqueles jovens revoltos, recém-ingressos numa universidade, loucos pra descobrir os prazeres de uma bronha causada pelo tesão que a literatura é capaz de alavancar. Mas, igualmente, Bukowski remonta a esse tipo de época, quando se é jovem, anda-se claudicante pelo mundo em busca do primeiro estágio, arruma-se o primeiro namoro sério, pensa-se nas noites de boêmia como se já se tivesse chegado ao mundo dos adultos com os dois pés, transa com um ou uma e se deseja todos (ah, mas isso é atemporal, não é?). E depois, é outra peça de dominó que cai e é esquecida (embora suas lembranças possam até perdurar um pouco mais). Ler o Velho Buk mais adiante, só por pura nostalgia, mesmo.

O fato é que, pro bem ou pro mal, existem livros e autores icônicos que têm um prazo de validade. A vida não para pra que possamos resgatar a leitura perdida, e quando nos apercebemos, já era.

Da mesma forma que não se pode evitar um monte de coisa no mundo, porque a raça humana é desavergonhadamente predadora, e ficou tarde demais porque, bom, nascemos; não se pode perder de vista aquilo que se tenciona ler. Assim como ninguém espera compreender Foucault, Nietzsche ou Espinosa aos dez anos – uma validade dos livros às avessas –, fazer certas leituras, depois de certa época, só pra quem tem tempo de vida sobrando.

E enquanto não viermos com o prazo de validade impresso em alguma parte do corpo, como acontece com a maionese ou o milho em conserva que compramos, é melhor não correr riscos. Sua validade pode terminar amanhã, e, talvez, você não queira ser encontrado com um exemplar de *O meu pé de laranja-lima* na cabeceira.

# SEDUZIDO PELO TÍTULO

Você julga um livro pela capa? Provavelmente sim, mas vai dizer que não, porque a pergunta acima também pode ser lida como metáfora, e em tempos em que o limiar entre o aceitável e o condenável são muito tênues não convém dizer que as aparências são um fator determinante pra você fazer isso ou aquilo – e o adjetivo mais bonito que você corre o risco de ser chamado(a) é de fútil.

Mas há um fator que tem o hábito de me atrair pra um livro, e que até hoje nunca me trouxe arrependimentos: o título.

Se você é daqueles que entram numa livraria como quem vai comprar a lista de material escolar dos filhos, então você seguramente não entenderá nada com nada do que eu quero dizer. Mas se, ao contrário, você é daqueles que vai a uma livraria como quem vai a um lugar onde sabe que vai rever velhos amigos e onde existe a real possibilidade de fazer novos, uma espécie de nirvana na terra, então o caminho é por aqui:

Existem títulos dos mais variados e pra todos os gostos. Há aqueles que causam [certa] indiferença, por exemplo, aqueles que têm um artigo e uma palavra só. Por que um título como *A Cabana* chamaria a atenção de qualquer ser vivente, não fosse a (má) fama que ele teve? Outros, já dizem a que vêm, como os títulos voltados pra jovens, excluindo leitores fora desse nicho. E, dependendo do leitor, alguns podem causar repulsa, despertar o afeto, cantar, desde a capa, alguma beleza. E há aqueles que arrebatam, simplesmente. Sem maiores explicações. Incluindo-se aí os próprios títulos artigo-e-palavra.

O último que me seduziu como uma sereia foi o título de um livro francês, em sua edição em espanhol: *La gente feliz lee y toma café* (As pessoas felizes leem e tomam café), de Agnes Martin-Lugand. De quem, aliás, eu nunca tinha tido a mais singela notícia. Mas como não querer ler *imediatamente* um livro com um título desses? Comprei sem nem saber do que se tratava, e só quando o exemplar chegou, foi que eu fiquei sabendo que se trata de uma história meio estilo David Foenkinos (outro francês que une humor e tragédia numa obra só e que recentemente teve um romance seu, *A Delicadeza*, transformada num filme com Audrey Tautou) e que o romance começa com uma epígrafe do texto *Luto e melancolia*, do Freud. Huuuum... instigante.

Antes disso, ano passado, a espanhola Rosa Montero tinha me fisgado com o seu *La ridícula idea de no volver a verte* (A ridícula ideia de não voltar a te ver), que é um título a um só tempo longo, belo e intrigante. E poucos meses depois, comprei também *El frio modifica la trayectoria de los peces* (O frio modifica a trajetória dos peixes). Sabe-se lá o porquê, mas achei esse título lindo, e este foi outro que comprei pela internet sem fazer ideia do que se tratava.

Mas o título de uma obra não nos chama a atenção apenas por aquilo que consideramos belo esteticamente na junção de uma palavra com a outra. Os três títulos mencionados, provavelmente, tornaram-se mais bonitos porque esbarraram pelos meus olhos em espanhol (que, apesar disso, é uma língua pela qual não tenho lá muito apreço). Assim é que, algumas vezes, um título também pode chamar a atenção pela sua musicalidade, pelo seu senso poético. *Dentro de ti ver o mar*, da portuguesa Inês Pedrosa, é um exemplo disso. O título parece letra de fado – e é mesmo.

Um que me chamou a atenção, porque me pareceu meio paradoxal (inicialmente), foi *A Elegância do Ouriço*, da francesa Muriel Barbery. De onde ela tirou que um ouriço tem elegância? Aí você acha aquela arrumação entre adjetivo e substantivo sem nexo, pega o livro, começa a ler e, de repente, se descobre diante de um dos melhores livros da literatura contemporânea de qualquer país.

Quer um que chama a atenção logo de cara *justamente* porque faz você ficar entre uma reação de nojo e um ponto de interrogação? *Secreções, Excreções e Desatinos*, livro de contos do Rubem Fonseca. O que esperar de um livro de contos do Rubem Fonseca com um título desses? Escatologia? Histórias envolvendo problemas psiquiátricos? Fica a dica pros curiosos.

Claudia Tajes, escritora gaúcha que vem ganhando mais e mais os holofotes nas letras nacionais, por sua verve brilhante, seu humor cortante e crítica nem sempre tão velada sobre determinadas características do povo brasileiro, tem dois títulos que eu adoro: *A vida sexual da mulher feia* e *Por isso eu sou vingativa*. O primeiro é aquele tipo de livro que te faz pensar: isso é autoajuda? Não, não. *Peraí*. Qual a mulher feia que iria comprar o livro, sendo aparentemente sacaneada logo de cara? Então, não, descartada a hipótese. É um livro de piadas? Também não, mas muito bem humorado e extremamente contemporâneo. O outro, que só pelo título já diz a que veio, intriga logo de cara, também. *Por que será que ela é vingativa?* pode se perguntar o leitor. E só lendo, mesmo. Ou vendo a série da TV. Mas nada como ler o livro, claro. De qualquer forma, o que importa: ambos os títulos são uns achados.

Tem também aquele tipo de título que você lê, não entende nada, lê de novo, aí é que não entende nada mesmo. Lê a orelha do livro, a última capa, e o título continua a fazer sentido ZERO, mas mesmo assim você vai lá e compra o livro porque, afinal, se o título não faz sentido, *alguma coisa* ali dentro deve fazer, pra aquele livro ter saído com mais de trezentas páginas! É ou não é? Exemplos. Pois bem: *Coisas do diabo contra*, de Eromar Bomfim. Não tem uma continuação depois do "contra". Não é algo como *Coisas do diabo contra o grilo andaluz*, o que continuaria não fazendo sentido, mas pelo menos seriam coisas do diabo contra *alguém* (ou algo). Mas não. E mesmo assim, ali está o livro, na minha prateleira. Mas nada supera um livro que andou circulando bastante nas resenhas mais... "alternativas", digamos (ou nem tanto): *As visitas que hoje estamos*, de um escritor que fez questão de assinar o livro com seu nome completo, faltou só RG e CPF: Antonio Geraldo Figueiredo Ferreira. Não faço ideia de sobre o que seja o livro (e parece que quem leu também não, o que contradiz minha teoria de que, se o título não faz sentido, o miolo deve fazer. Quem sabe, nesse caso, não foi a orelha que fez?). De toda forma, como não querer ler uma obra cujo título te faz se sentir um leitor de *Julia* e *Bianca*, sem a *menor* capacidade de abstrair, entender o que está nas entrelinhas, compreender o que não foi dito? Claro que a gente vai lá e compra. Não lê, mas compra.

    Outros livros nos pegam pela poesia que carregam em seus títulos. Sente só que coisa linda: *Reino dos bichos e dos animais é o meu nome*. Não dá vontade de correr e abraçar a Stela do Patrocínio, que é a autora? Mas nem adianta querer, porque ninguém abraça defunto (pelo menos que eu saiba, aqui por essas bandas). Stela era uma escritora confinada a um hospício e teve seus poemas gravados em fita e depois transcritos, já que ela mesma nunca escreveu uma só linha. Mas só pelo título, você quer logo a obra. Foi assim comigo.

    Nessa mesma linha, tem um de um escritor que eu adorava na adolescência, o Dean Koontz. O livro? *Os caminhos escuros do coração*, olhaí, que coisa bela. E é mais poético ainda no original: *Dark rivers of the heart*. Lá não são "caminhos", são *rios*. Quebra qualquer insensibilidade e faz o leitor querer se jogar na leitura.

Outros fazem o leitor querer ler por possuírem títulos que, além de intrigantes, parecem questionar alguma coisa: *Como vivem os mortos*, de Will Self; *A visita cruel do tempo*, de Jennifer Egan; *Teoria geral do esquecimento*, do Eduardo Agualusa, e *A insustentável leveza do ser*, de Milan Kundera. É de se pensar, de cara, que não são leituras tão "simples" assim. Mas que, ao final da leitura, algo te foi acrescentado.

Seja lá o que nos leve a colocar as duas mãos numa obra e querermos adquiri-la, ou pegá-la emprestado, o que importa é continuarmos lendo, fazendo parte do elo transformador da leitura.

De todo modo, dentre tantos milhares de livros publicados por ano, é sabido que, hoje em dia, o apelo comercial de um livro tem de estar cada vez maior. Se o título ajudar a ser um chamariz nesse processo, tanto melhor.

E vamos combinar que, assim como em pessoas, um título que nos diz algo interessante é muito mais sedutor do que uma capa que só revela, unicamente, ela mesma, ou seja: a aparência. E de aparência por aparência, os photoshops, as revistas direcionadas a determinados públicos, a vida, já estão cheios.

## UMA ILHA DESERTA EM CHAMAS

Imagine que, de repente, você foi convocado(a) por Deus (ou por Maomé, pelo presidente, pelo gênio da lâmpada, pouco importa aqui sua entidade benfeitora) pra sair da louca vida de pouca fruição e muita *escravidão* e ir morar por uns tempos numa ilha deserta, longe de tudo e de todos, durante um tempo indeterminado, afastando-se da vida "dinâmica" (que eufemismo bonitinho arranjamos pra o que na verdade queremos descrever como *caótica*) e da obrigação de termos ambição por cima de ambição pra sermos felizes.

Acontece que faz parte do trato que você leve apenas cinco de cada coisa – mas quem define o que levar é você. Assim, você poderia levar, pra este período, dentre outras coisas, cinco livros – à sua escolha. Quais os cinco livros que você levaria?

Já me fizeram essa pergunta – ou variações dela – várias vezes durante a vida, e acho que a resposta foi diferente em cada uma delas. De qualquer forma, tenho convicção de que levaria, seguramente, um livro da Alice Munro que eu ainda não tivesse lido. Também levaria um do Philip Roth, provavelmente aquele que ele disse que é seu livro favorito dentre os 31 que escreveu, *O Teatro de Sabbath*. Alguma obra do Machado de Assis também seria muito bem-vinda (ou bem-ida, talvez?), já que a escrita sedutora e perspicaz dele muito fala a mim. Também levaria um Dostoiévski e, por fim, um volume contendo todas as peças de Shakespeare.

Uma coisa, entretanto, teria que unir todas as obras que eu decidisse levar: elas teriam que ser não apenas obras de autores que me provocam, me acendem, dialogam com o que há de mais intrínseco em mim mesmo, mas também teriam que ser autores e obras que eu pudesse reler incontáveis vezes e sempre ganhasse com a releitura.

A ideia de uma ilha deserta como forma de se tornar estrangeiro de si mesmo sempre me fascinou. Talvez porque no fundo eu tenha esse eremita dentro de mim, esse medo intenso do confronto social, de muita gente reunida, a perturbadora sensação de ser engolfado por uma massa amorfa de sons e carnes e vozes em toda parte que não me são nada quiméricos, pelo contrário: são de uma realidade digna de um *Laranja Mecânica*. Daí que provavelmente me enxergar como o habitante imaginário desta ilha seja uma espécie de salvação, quase como a ideia de um espaço rarefeito, um conforto, um ninho, um berço – um útero? A incapacitante reflexão sobre o que viemos fazer aqui, do lado de fora.

Então que, se a mim fosse dada essa oportunidade, eu a receberia com loas, não faria questão de tantos víveres desde que tivesse ao meu alcance algo que garantisse a minha subsistência. Num espaço assim, como não ter prazer em ler obras amplamente universais enquanto ainda poderia esquecer da vidinha deixada pra trás?

Nem tudo é tão bom que não possa melhorar nem tão ruim que não possa piorar, entretanto.

Agora imagine que, após o que inicialmente parecia uma temporada calma e da mais completa esbórnia, essa mesma entidade lhe aparece, avisando que, em 24 horas, a ilha será consumida em chamas e que, pra escapar num bote pequeno, você só poderá voltar com *um* de cada um dos itens que escolheu levar. Dane-se aquele bibelô de estimação que está na sua família há sete gerações e que você tinha levado por apego emocional, seus álbuns de família, suas inúteis apólices de seguro de vida! A pergunta que importa é: Que livro você salvaria das chamas?

Pra piorar, a entidade lhe informa – porque uma entidade assim não pode ser apenas ruim, tem de ser diabólica – que com a obra escolhida em mãos, você terá de escolher se o livro que está no barco será pra sempre o único exemplar da face da Terra e o mundo jamais ouvirá falar naquela obra novamente, que sumirá por toda a eternidade, ou se são as quatro que você deixou pra trás que irão se dissolver como pérolas numa bacia de vinagre.

A escolha é sua. Seja lá qual for a sua opção, ela implicará em perdas. Qualquer editor, em qualquer língua e lugar do mundo tentará imprimir aquela obra ou obras novamente, sem sucesso: ela se desfará completamente, não importa se em papel, leitor digital ou seja lá o meio que ainda tiver por ser inventado.

Hora de mostrar se você é altruísta ou egoísta. Ou coisa pior.

Perceba que, neste momento, eu já joguei a hipótese pra um "você" imaginário faz tempo – eu é que não quero ter esse tipo de decisão nas costas e falar por mim. Pra ser sincero, não faço a menor ideia de qual obra escolheria pra ir pro barco comigo, *muito menos* o que faria depois que soubesse dessa segunda parte da tramóia do Tinhoso pra cima de mim.

Mas não há muito tempo para elucubrações, *a ilha já está em chamas*. Ainda ao longe, mas o clarão se aproxima rápido, então você conclui que aquilo só pode ser uma tragédia a caminho.

A entidade continua ali, na sua frente, esperando a sua decisão. Você olha pros cinco livros, afasta a cabeça um pouco para a direita e vê que o barco está a alguns passos de você. Entre os livros e o barco, só a Besta que lhe fez a oferta inicial. Como ludibriá-la?

Não há como, você pensa. Se eu escolher que a obra que levarei comigo será o único exemplar, o mundo deixa de perder outros quatro livros monumentais. Se eu escolher que o livro que terei em mãos não será o único, podendo ainda ser encontrado em livrarias e bibliotecas, quatro obras deixarão de existir.

Aparentemente, a resposta seria fácil. Aliás, você deve estar se perguntando: como é que essa pessoa ainda se faz essa pergunta?! É óbvio que é melhor (ou menos ruim) perder uma só obra importante do que quatro.

Mas somos humanos. Favor, não esquecer.

Talvez, num momento de descuido, você tentasse correr pro barco e, já dentro dele com os livros a salvo, a entidade olharia pra você, um risinho de deboche no rosto, com os remos na mão e sua morte certa na fogueira que a ilha se tornara.

Talvez você escolhesse que o melhor seria mesmo abdicar de uma só obra. Nesse caso, teria de ser um segredo seu pelo resto da vida. E se descobrissem que o único exemplar a salvo estava com você? Provavelmente sua vida correria risco. Sua vida correria risco mesmo se você tentasse vendê-lo, porque iriam pensar que você estava por trás de alguma trama internacional que exterminou todos os outros exemplares do livro. Teorias da conspiração surgiriam. E você sem poder explicar pelo simples motivo de que o que quer que você dissesse pareceria loucura a qualquer ouvido.

A ilha deserta que também é a ilha em chamas somos todos nós. Somente nós sabemos os segredos que guardamos lá no lugar mais recôndito de nós mesmos. Somente nós, e, às vezes, depois de um longo caminho de autoconhecimento, que muitas vezes vem com a ajuda de outros, profissional ou não, podemos conjecturar com mais assertividade sobre o que faríamos, e que caminho seguiríamos, e mais ninguém. Nosso coração é um solo de cal quando tem de ser. Assim como ele também é um terreno que abre espaço pro inesperado, pras atitudes impulsivas, quando não compactuamos com o que nos é apresentado e temos de tomar escolhas baseadas amplamente no que dá pra fazer naquele instante, na reação de segundos.

    Seja lá qual livro salvássemos e o que faríamos depois disso, ainda teríamos um universo de leituras a fazer, no qual uma única vida mal começa a caber. O que nos molda são precisamente nossas perdas e ganhos. Mais as perdas do que os ganhos, que são estas últimas, quase que invariavelmente apenas gozo, com toda a sua fugacidade. O mosaico de que somos formados é um amontoado de cacos retirados de diversos achados e perdidos. Do arquipélago, e não apenas da ilha, que somos todos nós.

# INVEJA BRANCA LITERÁRIA

Tem gente que parece ter nascido predestinada. Eu até poderia acreditar nisso, mas não acredito, e não sendo o caso de uma miraculosa intervenção divina ou do destino, sempre me pergunto o que será que faz determinados escritores conseguirem, em uma tenra idade, publicar uma obra que se torna imortal, ou que, pelo menos, consegue atingir um grande sucesso de público e crítica em seu tempo.

Penso que os fatores podem ser muitos, dependendo do que a época exigia de seus narradores e das pessoas a quem certos jovens autores estavam ligados no momento de suas produções e posterior publicação. E como a inveja sequer figura entre os sete pecados capitais, bem-vindos a uma crônica regada àquela invejinha que a gente tem não quando queríamos tirar do outro o que é dele, mas quando lá no fundo, gostaríamos de estar no lugar do outro ou ficamos felizes por eles. Apenas isso, feliz pelo outro, num altruísmo de dar... é, isso mesmo: inveja. Fazer o quê?

Segundo Leonard Mlodinov, em seu livro *O andar do bêbado*, o acaso, a aleatoriedade ou a sorte explicam muitos desses casos. Por que razão um livro faz um sucesso estrondoso, enquanto tantos autores de talento seguem anônimos? O mesmo vale pra um cantor, um autor... e tudo aquilo a que costumamos nos referir como "indústria cultural". *Fortuna*. Destino, sorte. Pois muito bem então, que seja.

Alguns desses casos, porém, fazem algum sentido, se tentarmos buscar uma explicação. Outros, nem com uma investigação internacional ou macumba.

Tomemos, por exemplo, o caso de Jonathan Safran Foer. Enquanto era aluno da universidade de Princeton, Foer fez um curso introdutório de escrita criativa com a renomada escritora Joyce Carol Oates (que além de detentora de diversos prestigiados prêmios, é também uma eterna candidata ao Nobel), que se interessou por seus escritos e o ajudou a ser publicado. Em 2002, com *Tudo se ilumina*, Foer foi exortado como um novo gênio literário, sendo inclusive chamado de "o novo Philip Roth". Eu, particularmente, não vi nada que chegue aos pés do Philip Roth mais inane, mas sem dúvida o rapaz está num panteão pra autores contemporâneos vivos de onde ninguém parece tirá-lo.

Todo mundo sabe que Truman Capote escreveu *A sangue frio* e se tornou um dos mais aclamados escritores de todos os tempos, mas foi aos 24 anos, com o romance *Other voices, other rooms*, que sua carta de chegada ao mundo literário foi recebida. O livro ficou na lista de *bestsellers* por mais de dois meses, vendeu 26.000 cópias (estamos falando aqui de 1948, não esquecer!), mas não vou nem dizer que o autor teve uma vida desgraçadamente infeliz, segundo ele próprio, e que hoje em dia ninguém nem lembra mais desse primeiro livro – porque não lembram mesmo. Mas isso não é inveja, é só um fato... não é?

E a Jane Austen, tadinha?! Quando finalmente quiseram publicar aqueles seus livros que por algum acaso continuamos lendo até hoje (vou mencionar só dois: *Orgulho e Preconceito* e *Razão e sensibilidade*), ela já tinha mais de trinta anos. Mas eles estavam escritos e engavetados desde o começo dos vinte anos de idade da moça, que deve ter soprado a poeira e tentado a sorte. Deu certo, fazer o quê?

Agora imagine a cena: reunidos num casarão, numa época pré-luz elétrica, estão algumas vozes pensantes e atuantes no cenário literário da época, dentre elas Percy Shelley e um certo poeta famoso, Lord Byron. Numa certa noite em que ninguém pôde sair de casa, resolveram brincar de contar histórias de terror... e a única que terminou a história foi a então insignificante Mary Shelley, que publicou seu *Frankenstein* com a ridícula idade de 20 anos. Dá pra acreditar num negócio desses? Dá. Inveja dela? Eu não, longe de mim!

Um peso-pesado da literatura norte-americana foi, sem dúvida, Norman Mailer. Acusado de misoginia, machismo, uma série de outros "ias" e "ismos" e ainda adorar falar de guerra em seus livros, Mailer publicou seu primeiro romance, *Os nus e os mortos*, aos 25 anos. No que parecem ter sido centenas de anos dedicados à literatura, Norman Mailer foi um ativista político de visões conservadoras (ele tinha uma visão bastante peculiar sobre, por exemplo, a liberação feminina) e um tremendo mulherengo, tendo se casado seis vezes e sido pai outras nove. Certamente ele tinha muito o que escrever e escrever muito, pra ajudar a criar tanta gente. E o fez de forma bastante louvável, tendo publicado livros até o seu último ano de vida. Um verdadeiro dínamo, em mais sentidos do que o meramente literário.

Voltemos aos super contemporâneos.

Christopher Paolini chegou quando a onda da literatura classificada nos Estados Unidos como YA (de "young adult", jovem adulto) estava começando a se espalhar. Aos *quinze anos*, ele começou a escrever uma saga de fantasia à la Tolkien, com direito a mundos imaginários, dragões e alguém que luta por uma causa. Deu certo. Com o apoio dos pais, que ajudaram-no a editar seu livro, ele saiu em turnê com a família vendendo exemplares do livro, que depois foi descoberto por uma grande editora e virou fenômeno absoluto. Ele vendeu os direitos do primeiro livro, *Eragon*, que virou um filme sem grandes repercussões. Inicialmente ele ia escrever uma trilogia, que a pedido da editora virou uma tetralogia, e assim aconteceu. De lá pra cá anda sumido, pouco falado... mas criou uma série icônica pra muitos jovens adolescentes (e adultos), que começaram a ler através de seus escritos.

Em 2004, quando ambos contavam 28 anos, Ian Caldwell e Dustin Thomason publicaram um livro mais ou menos nos moldes de *O código Da Vinci*, entitulado *O enigma do quatro*. Talvez pelo enorme sucesso que o livro de Dan Brown estava fazendo naquele começo de século XXI, talvez porque, pra fãs do gênero, o livro fosse bom mesmo, o certo é que o romance escrito a quatro mãos tornou-se um *bestseller* instantâneo, teve os direitos vendidos pro cinema e foi traduzido pra dezenas de idiomas. Depois disso, sabe lá Deus por que, a dupla se separou e passaram anos sem escrever qualquer coisa. Ian retornou com um romance em 2013, e Dustin, com um em 2012, ambos lançados sem alarde e relegados ao esquecimento, onde hoje permanecem, numa espécie de limbo à espera de um chamado de alguma divindade superior.

É quando chegamos à nossa brasileiríssima Rachel de Queiroz, que ficou famosa em 1930, aos 20 anos, com seu libelo contra a seca, a miséria e as agruras do povo nordestino, *O Quinze*. Ali, já se podia enxergar a Rachel que se tornaria uma grande e poderosa ativista política, que foi muito criticada por suas posições, mas a quem não se pode acusar de passividade. Após este romance, lido até hoje, vieram vários outros romances, peças de teatro e crônicas – que escreveu até bem perto de morrer, em 2003. Mas eu queria ter escrito um livro poderoso como este aos 20 anos? Eu não, preferiria estar onde estava mesmo: na faculdade.

Brincadeiras à parte, o certo é que, diante de todos esses exemplos, não dá pra não pensar sobre a trajetória de nossas próprias vidas, os caminhos que construímos, que apagamos e tentamos refazer – quando possível, e na maioria das vezes, não é.

O sucesso que vem pra uns, que pra alguns é obra divina, pra outros nada mais é do que a grandiloquente aleatoriedade da vida – desde nossa concepção até a hora do desembarque – e lutar contra isso é grotesco. Seja o que for, é algo que nossa inteligência não alcança e provavelmente jamais alcançará. Não adianta espernear, passar noites insones tentando compreender – vamos tratar de viver a vida sem tentar buscar essa resposta, até porque outras perguntas, mais urgentes, têm vindo à tona. E elas sempre vêm.

# [GRANDES] AUTORES DE UM LIVRO SÓ

Vamos deixar claro logo uma coisa: quando eu me refiro a "autores de um livro só" não quero dizer necessariamente que o pessoal sobre o qual você vai ler a seguir só escreveu um único livro. É como naquela expressão, "one-hit wonder", aquela turma que fez sucesso com uma música e depois cadê? Nunca mais.

Pois exemplos na literatura abundam. Seja lá por qual motivo, razão ou circunstância, tem gente que nasceu e morreu pra literatura com uma única obra, descansam em paz no mundo das letras com sua obra-prima e nada mais.

Mas chega de ficar na escuridão, porque a crônica de hoje vai trazer à tona algumas teorias a respeito desse pessoal que se apaga depois da primeira dose (ou complicar mais ainda o negócio). Senta aí e presta atenção nos *causos* a seguir.

Comecemos com o único exemplo brasileiro da lista: (Não, por mais que a gente quisesse, não é do Paulo Coelho que eu vou falar. É do) Raduan Nassar. Crucifiquem-me. Quem gosta de literatura brasileira e pensa no autor, lembra logo de *Lavoura arcaica*. Antes dos anos 80, o autor tinha dois livros publicados, ambos ficaram famosos, mas *Lavoura arcaica* é que foi, verdadeiramente, elevado ao status de obra-prima. Pois um belo dia, ele acordou e disse para si mesmo, "Ah, não quero mais isso pra mim, não". Pegou o dinheiro que tinha e investiu numa fazenda, onde foi se refugiar e esquecer da *vida loca* da capital. Como mesmo quem vira eremita tem necessidades, Raduan resolveu mudar de vida de novo em 2010. Quer dizer, mais ou menos. Doou a tal fazenda, que era enorme, pra uma universidade e foi pra uma outra, bem menor. (Gesto bonito, hein, Raduan? Ganhou pontinhos com Nosso Senhor). Em seguida, voltou a trancar-se em seu silêncio. A verdadeira motivação do escritor? Ninguém sabe, ninguém viu. E a menos que ele tenha escrito a resposta e mandado botar num cofre, vai ficar pra sempre o enigma. Mas vai que criar vaca, cabrito e plantar não era mesmo melhor que escrever?

Outro que resolveu se refugiar da sociedade foi J. D. Salinger, autor do clássico *O apanhador no campo de centeio*. O autor morreu em 2010, e sua editora já anunciou que ele deixou "pelo menos" cinco livros inéditos (o que na prática significa dizer que ele deixou cinco livros prontos e uma papelada imensa que eles vão tentar transformar em livro pra continuar ganhando dinheiro em cima do defunto). Mas o primeiro só em 2015 (Isso foi o que prometeram. Nada inédito até hoje). Enquanto isso, diga aí: quais foram os outros três livros que o autor publicou em vida? Rá!, não lembra, né? Pois Salinger é mais um caso de autor de um livro só. E o pior: o último dos três foi publicado em 1963, quase *cinquenta* anos antes da morte do autor. O que o levou a este silêncio de quase meio século? Alguns crimes famosos estão diretamente conectados ao livro. Quando Mark Chapman assassinou John Lennon, um exemplar do livro foi encontrado com ele, junto com a frase: "Esta é a minha declaração", e assinou como sendo Holden Caulfield, o protagonista do romance. Descobriu-se depois que ele se identificava a tal ponto com o personagem que queria oficialmente mudar seu nome para Holden. No ano seguinte, John Hinckley Jr. tentou assassinar o presidente Ronald Reagan, e mais uma vez, o livro foi encontrado com o (quase) assassino. Outro caso que teve muita repercussão à época foi o assassinato da modelo e atriz Rebecca Schaeffer. Seu assassino, Robert John Bardo, havia ido à casa dela, na tentativa de "conversar" com ela, com um exemplar do *Apanhador* nas mãos.

Outros crimes também estão associados ao livro. Só que quando tudo isso aconteceu, Salinger já tinha se recolhido em Cornish, New Hampshire, uma cidade que, em 2010, tinha menos de dois mil habitantes. Imagine em 1953, quando Salinger foi pra lá. Se os crimes cometidos em nome do seu livro colaboraram pra que ele se tornasse ainda mais recluso? Talvez. Salinger nunca gostou de atenção e da exposição na mídia. Conforme o autor disse numa de suas últimas entrevistas (a última foi em 1980): "Existe uma paz maravilhosa em não ser publicado. Publicar implica numa terrível invasão da minha privacidade. Eu gosto de escrever. Eu amo escrever. Mas eu escrevo apenas pra mim mesmo e pra satisfazer o meu próprio prazer". E não custa lembrar que o livro ficou famoso desde seu lançamento, em 1951. Com casos pipocando nas TVs e jornais envolvendo seu nome e crimes famosos, seria razoável crer que os crimes tornaram-no ainda mais voltado pra dentro de si mesmo. Outras teorias dão conta de que Salinger era melindroso e detestava as críticas aos seus livros, e sofria muito com elas. Pra um homem que bebia urina, falava em línguas e dava em cima das amigas adolescentes de sua filha (informações publicadas por ela própria) e tinha inclinações e práticas sexuais "estranhas", segundo a ex-esposa, tudo caminha com segurança pelo reino da possibilidade. Porém, é difícil julgar e mais difícil ainda compreender.

Um que ficou famoso pelo oposto dos dois acima foi F. Scott Fitzgerald, o eterno – e eterno mesmo – autor de *O grande Gatsby*. Fitzgerald viveu uma época pré-quebra da bolsa de Nova York, a chamada "Era do Jazz", que ele viveu aos píncaros. Pois este rapaz, que se casou com Zelda Fitzgerald, um personagem à parte, teve das mais tresloucadas vidas. Naqueles tempos, em que o estilo extravagante de vida era o tom em quase toda a alta sociedade estadunidense, o negócio era ir a festas todas as noites, viver em barcos na Riviera Francesa, curtir o luxo e a opulência... Nisso, ele completou apenas quatro romances durante sua vida e vários contos (alguns também bastante famosos). Tendo sido alcoólatra pela maior parte dos anos de sua vida adulta, Scott Fitzgerald começou a sentir o declínio da saúde por volta dos anos 30 quando contraiu tuberculose. Daí pra frente, o negócio degringolou de vez. Sofreu dois ataques cardíacos nesta mesma década e, em 1940, morreu aos 44 anos. Por mais que se escreva muito sobre ele e sua desvairada esposa, que se filme sobre sua vida e sua obra, o que ficou e ficará, de verdade, é o romance *O grande Gatsby*, que não é outra coisa senão o retrato fidedigno da época em que o autor mais "aproveitou a vida", por assim dizer.

Outro que a vida de excessos levou pra dentro do bueiro foi Truman Capote. Autor de *A sangue frio*, publicado em 1966, Capote ficou famoso tanto por este livro, que praticamente criou o gênero da narrativa não-ficcional de casos de homicídios, a partir de uma perspectiva jornalística e uma narrativa esfuziante, no chamado *New Journalism*, quanto por seu gênio extremamente temperamental e vaidoso, e seu vício em álcool e outras drogas, além de uma inclinação por frequentar festas e eventos com outras pessoas famosas. Truman Capote tinha uma vida social intensa e desregrada. Depois de passar anos pesquisando *in loco* sobre os crimes descritos no seu livro famoso, inclusive fazendo amizades com as esposas dos acusados e vizinhos, pra delas conseguir depoimentos, o autor jamais conseguiu terminar outro livro. Escreveu alguns contos, esparsamente, e mesmo seu *Bonequinha de luxo*, novela publicada oito anos antes de *A sangue frio*, teve um *filme* famoso (com Audrey Hepburn), não um livro. Pouco se sabe de fato dos motivos que levaram Capote a não conseguir alavancar sua carreira novamente, nem fazer nada de maior consistência. O fato é que o barril de pólvora que era sua vida deixou rastros, e fortes indícios de que as polêmicas envolvendo o próprio livro (o autor foi acusado de fazer por onde os criminosos retratados em seu livro serem logo executados, pra que assim seu livro tivesse o final que ele desejava) e sua vida pessoal tenham enfraquecido suas forças e sua capacidade de escrever. Sua biografia fala por si só.

Nem tanto no Brasil, mas nos Estados Unidos, há um livro clássico lido por gerações, que até poucos meses antes de sua morte, em 2016, havia sido de fato o único livro publicado pela autora. O livro é o romance *O sol é para todos* (*To kill a mockingbird*), publicado em 1960. A autora, Harper Lee, foi uma grande amiga de Truman Capote, tendo inclusive indo à cidade no Kansas com ele, onde ele foi pesquisar pro *seu* livro famoso.

Num romance criado pra discutir a questão das desigualdades raciais, sociais e o estupro, Harper Lee criou uma gema literária e um romance imortal. Mas ficou só nisso. Anos depois, chegou a anunciar que estava escrevendo um novo romance, mas deixou-o de lado por achar que estava se perdendo e não tinha mais nada a dizer. Muito se especula, também, sobre sua saída de cena. Alguns dizem que, na verdade, ela não escreveu o livro. Quem o fez teria sido Truman Capote. Estudiosos de ambos dizem que isso é um absurdo, já que Capote era vaidoso demais pra não querer que este livro, tão popular e respeitado – tendo inclusive recebido o prêmio Pulitzer –, não estivesse sob seu próprio nome.

Outra teoria é a de que ela teve receio, à época, de o livro ser um fracasso retumbante, após o estrondoso sucesso do anterior. A mais provável, porém, é a afirmação que a própria autora fez a um amigo, e que veio a público em 2011: "Eu não passaria pela pressão publicitária pela qual passei com *O sol é para todos* novamente por nenhum dinheiro. E também porque eu já disse o que queria dizer e não o farei novamente". Então é isso, e caso encerrado.

    E você taí pensando que isso só acontece com escritor esquisitão e de gênio indomável? Pois não. Acontece até com quem sempre foi pacato, morava numa propriedade longe de tudo com sua família e, anos depois, ganhou o Nobel. Pensemos no livro *Senhor das moscas*. Um verdadeiro clássico, publicado em 1954 por William Golding. Agora pense em outro livro dele. Vamos lá... E aí? Mais uma chance... Nada, né? Pois é. Golding é o típico caso de escritor de um livro só. Este é o escritor que, em 1983, viria a ganhar o cobiçado prêmio da Academia sueca. E olhe que *Senhor das moscas* nem foi o primeiro livro dele. O cara vinha publicando livros de poemas na década de trinta, até chegar na década de cinquenta e publicar o romance pelo qual seria lembrado (e enaltecido). E por mais que outros *dez* romances tenham se seguido a este, nada ficou como seu primeiro. Acontece.

    Outro caso famoso é o do L. Frank Baum. Dizendo só assim, é capaz de você nem saber quem é. Pois eu digo. Ele escreveu nada mais, nada menos do que *O mágico de Oz*. É mole? Um clássico de umas quinhentas gerações, mais ou menos. Agora se segura aí: existem outros *dezesseis* livros que se passam na terra onde vai parar a Dorothy, o Totó, o Leão, o Homem de Lata e o Espantalho. Todos escritos pelo mesmo L. Frank Baum. Isso sem contar outros livros que ele escreveu fora da série. No entanto... quem lembra de um só titulozinho?

    Surfando nesta mesma onda de azar está P. L. Travers, que ninguém sabe nem quem é. Mas se eu disser o título do livro dela (calma aí, eu vou dizer!), na hora você vai saber do que estou falando. Pois bem, P. L. Travers é a autora de *Mary*

*Poppins*. Aposto que a primeira coisa que você se perguntou aí foi, "E o filme era baseado num liiiiiivro?!" Pois é, é sim. Agora que você sabe disso, vá ler o livro. Aliás, *livros*. Assim como o autor de *O mágico de Oz*, P. L. Travers era chegada numa continuação, e a Mary Poppins com a Julie Andrews que você conhece do filme é apenas a primeira de quase uma dezena de livros.

Outro que fecha a trinca com os dois acima é Lewis Carroll, autor de *Alice no país das maravilhas*. Carroll foi muitas coisas em seus 65 anos de vida. Além de escritor, foi matemático, especialista em lógica, diácono anglicano e fotógrafo. Aos 33 anos, publicou o primeiro livro de Alice e, aos 39, a continuação, *Alice através do espelho*. Depois desses dois livros, ainda andou publicando alguns poemas, vários livros de matemática, e, trinta anos após a publicação de sua obra-prima, seu último romance; e eu arranjo um exemplar autografado pra quem me disser, sem ir pesquisar no Google, qual é o título desse livro. Com um pé nas costas, sei que vou me poupar ao trabalho de conseguir um autógrafo do Lewis Carroll direto do além, por uma razão bem simples: *ninguém lembra*. Aliás, não fosse algumas editoras brasileiras lançarem os *dois* livros da Alice *num só volume*, poucos saberiam que a história dela teve um capítulo a mais. Outro autor que viveu uma vida meio controversa, com acusações de pedofilia, e problemas de saúde muito graves, o certo é que Carroll nunca conseguiu prosseguir numa carreira sólida de escritor, na qual fez sua verdadeira fama e fortuna – e apesar de ser um homem notadamente genial.

Falemos agora de Margaret Mitchell. "De quem?", você pergunta. Resposta: *E o vento levou*. Desse você já ouviu falar, tenho certeza. Agora vou te contar quem era essa Margaret: lá pelos idos do final dos anos 20, essa nobre senhora da sociedade de Atlanta, na Geórgia, nos Estados Unidos, saiu de seu emprego como jornalista, onde assinava uma coluna de fofocas para um jornal local, veja só. Ela precisava se recuperar de um problema no tornozelo, e por isso, ficou de molho em casa. Por conta disso, ela não fazia outra coisa a não ser ler, ler muito. Um dia, seu esposo, cansado de sair pra trabalhar e voltar do trabalho e ver a mulher com a cara enfiada nos livros (na verdade, ele estava cansado era de ter que ir toda semana à biblioteca pública pra pegar livros pra esposa ler, num ir-e-vir sem fim), sugeriu a ela: "Mulher, será que não dá pra você escrever seu próprio livro, ao invés de ficar lendo esses milhares de livros da biblioteca?". Pois foi assim que essa história começou. Nos três anos seguintes, ela não fez outra coisa da vida a não ser escrever o romance, e o marido dela, que achava que ia ter paz, trocou seis por meia dúzia, porque ao invés de sair pra pegar livros emprestados, tinha que sair pra comprar resmas de papel, já que a mulher escrevia sem parar, a ponto de sentar-se em cima dos próprios manuscritos, fazendo-os de sofá.

Não há como saber se Margaret Mitchell teria tido algum outro sucesso espetacular na carreira (a autora ganhou o Pulitzer pelo seu famoso romance, em 1937), já que, dez anos após a publicação de *E o vento levou*, ela ainda não tinha produzido nada. Talvez os efeitos do sucesso do filme, que lhe deram muita publicidade, e pouco tempo e paz pra voltar a escrever, tenham sido fatores. Mas o certo é que sua carreira foi abreviada ainda mais porque, numa certa tarde de 1949, em que se decidira a ir ao cinema com o marido, Margaret Mitchell foi atropelada por um taxista e morreu cinco dias depois. Resultado: mais uma autora de uma obra só. Antes da fama, ela tinha escrito algumas coisas num estilo erótico, e depois da fama, descobriu-se um romance escrito na juventude, descoberto nos anos 1990. De qualquer forma, tudo muito aquém do clássico que ela criou, de acordo com público e crítica.

Às vezes, é a morte que abrevia as coisas, mesmo. Quando Margaret Mitchell morreu, ela já tinha publicado *E o vento levou* há *doze* anos. Tempo suficiente pra tentar espremer alguma coisa, na *maioria* das vezes. Outras vezes, como no caso da inglesa Emily Brontë, é que havia uma tuberculose no meio do caminho. A escritora faleceu aos 30 anos (trinta anos, meu povo, isso lá é idade pra alguém morrer?!), poucos meses depois da morte do irmão. Algumas pessoas chegaram a dizer que ela morreu de "coração partido" por conta da morte do irmão, mas ela morreu mesmo foi de um resfriado que virou uma gripe que encontrou uma tuberculose mal curada e a junção de tudo isso ressuscitou o problema. Um ano antes, ela havia publicado *O morro dos ventos uivantes,* e não viveu pra ver o sucesso da obra nem, naturalmente, o fato de que se tornaria um clássico nos anos seguintes. Emily Brontë foi mais uma que a morte arrastou pro caixão, levando uma carreira junto. Numa carta para seu editor, ficou-se sabendo que ela começou a escrever um segundo romance, mas o manuscrito jamais foi encontrado. Então, é *O morro dos ventos uivantes* e só.

Agora, uma perguntinha pra vocês me odiarem pra sempre: quem foi Oscar Wilde? Vão lembrar que ele foi preso porque era gay e teve um caso com um filhinho de papai que no fim das contas acabou com a vida dele. Vão lembrar que ele escreveu peças, contos, poemas... Mas se perguntarem qual o trabalho mais famoso do rapaz, eu *aposto* com você que vão dizer: *O retrato de Dorian Gray*. Não adianta se espernear, meu povo! É a verdade e acabou-se. Sim, ele tem várias peças famosas, aforismos (o Facebook que o diga!), mas o famoso, famoso *mesmo*, é o seu único romance sobre o garboso rapaz que roga aos deuses que o quadro no qual está retratado envelheça em seu lugar – e tem seu pedido atendido, mas recebe também *otras cositas más* que ele não pediu, mas que estavam no pacote também. E nessas horas, esse tipo de coisa é igual a marido ou mulher: você casa e recebe inteiramente grátis o que gosta e o que não gosta e vai *literalmente* dormir com o pacote completo. Fim.

Dificilmente existe alguém que nunca tenha ouvido falar em *Frankenstein*, ainda que associe este nome a um monstro. Pois o monstro da história, na verdade, nunca recebeu nome. Frankenstein é o nome do *criador* do monstro que, por não ter lhe concedido um nome acabou cedendo o seu a ele, involuntariamente, no imaginário popular. Este clássico dos clássicos foi escrito por Mary Shelley quando ela tinha menos de vinte anos (não tem como não se deprimir quando você pensa que uma menina com *menos de duas décadas de vida* escreveu um clássico e você até hoje só na promessa de escrever algo que preste, mas é a vida). E embora ela ainda tenha escrito vários outros romances, contos, ensaios e biografias, nada dela chegou com força no presente. As obras existem, a maioria está editada, mas vira uma coisa pra curioso ler (e depois dizer que bom mesmo era o *Frankenstein*...).

Eu poderia mencionar inúmeros outros casos, de maior ou menor fama, de gente que ficou famosa por uma única obra, mas a crônica iria se transformar numa versão moderna das mil e uma noites.

Em que pese tudo o que leva um autor a escrever apenas uma obra, ou escrever uma vasta obra e no fim ser lembrado apenas por uma (o que, convenhamos, é uma desgraça ainda pior), o certo é que a história da literatura está repleta de casos como os narrados acima. De pessoas memoráveis, ainda que por um único feito.

E enquanto isso, estamos nós do lado de cá. Nós, que provavelmente não deixaremos nada para a humanidade como um todo. Nós, os esquecíveis. Será? Consola acreditar que seremos lembrados por aqueles que gostam de nós? Consola manter viva a ideia de que, em não produzindo algo eterno, pelo menos demos o nosso melhor pra modificar (pra melhor, espera-se) a nossa realidade?

Se você chegou até aqui, tem um tempo pra pensar.

E aí, consola?

# A ERA DO ESCRITOR MIDIÁTICO

Há algum tempo, o escritor de livros de fantasia Raphael Draccon se colocou numa enrascada ao afirmar, numa entrevista, que se Rubem Fonseca surgisse nos dias de hoje sequer seria publicado. Foi o suficiente pra gerar uma verdadeira algazarra na internet, com centenas, talvez milhares de leitores defendendo o canônico escritor e denegrindo o autor de tão retumbante sentença nos mais diversos blogs e sites. A confusão foi tão grande que obrigou o jornal O Globo, que havia publicado a entrevista, a desfazer o dano causado ao autor da afirmação.

Raphael Draccon disse o que disse baseando-se na premissa de que hoje em dia, se um escritor não vai à luta por sua obra, se não se expõe em palestras, bienais e redes sociais, ele não será lido e, portanto, não existe. E num mercado em que milhares de livros são publicados todos os anos, alguém escolher determinado livro pra ler e este livro ainda se tornar um *bestseller*, é quase um milagre.

O mercado editorial mudou muito, em qualquer parte do mundo. Antigamente, a editora colocava no mercado uma certa quantidade de um novo livro de determinado autor, mandava alguns exemplares pra jornais e revistas esperando resenhas e/ou matérias a respeito, fazia uma noite de autógrafos e pronto, o restante do ciclo se cumpria sozinho. Com o passar do tempo, começamos a ver, além disso, publicidade em jornais, revistas e na televisão, o escritor começar a viajar mais pra fazer sessões de autógrafo até poder encerrar-se novamente pra escrever mais um livro.

Com o advento das redes sociais, entretanto, que coincidiu (ou não) com a alta velocidade do desenvolvimento de novas tecnologias, a coisa atingiu o píncaro da rapidez de comunicação e visibilidade. Em pouco tempo, os leitores começaram a perceber que seus autores estavam em redes sociais, tinham blogs, páginas oficiais – e o melhor: eles mesmos, muitas vezes, respondiam ao seu séquito. Como não se fidelizar a alguém dessa maneira? Quando as editoras começaram a se dar conta de que seus autores podiam estar dentro de casa e ao mesmo tempo em toda parte, resolveram investir pesado nesse contato. Logo, muitos autores começaram a viajar dentro de seus próprios países e muitas vezes até fora deles.

Dialogar com o público que se almeja atingir, portanto, parece cada dia mais imprescindível pra quem quer ser lido. Fazê-lo também é bom para as editoras, que sentem o peso da tarefa de promover seus livros e autores dividido com os próprios, bons vendedores de si mesmos.

No Brasil, temos exemplos claros disso: mal conseguimos acompanhar a agenda de escritores como Lira Neto, Socorro Acioli e Raphael Montes, por exemplo. Não sei se esse pessoal já anda fazendo como o Moacyr Scliar (por pura vontade, mesmo), que fazia da bandeja de refeição do avião mesa pra escrever o que quer que lhe desse na telha. Ariano Suassuna era outro que, até bem pouco tempo antes de morrer, aos quase 90 anos, ainda dava palestras e fazia as chamadas aulas-espetáculos, que seduziam seu público de maneira sagaz. No caso dele, que há anos não publicava nada, ele acabava aumentando a fama do que já fizera até ali – e a ansiedade pelo romance que escrevia (e que concluiu semanas antes de morrer).

Outros, por sua vez, são notórios reclusos. Para além do já mencionado Rubem Fonseca, o Brasil conta ainda com Dalton Trevisan (que de tão recluso ganhou o adjetivo de "vampiro"),

Vanessa Barbara e Elvira Vigna, isso pra citar só alguns que preferem vender menos a participar ativamente da divulgação de suas obras.

Exemplos na literatura mundial também abundam. Marcel Proust era um recluso que nos últimos anos de vida sequer saía do quarto. Emily Dickinson passou vinte anos sem colocar os pés fora de casa. Sequer foi ao enterro do pai. Claro que o fato de ela nunca ter publicado nenhum dos seus quase dois mil poemas em vida contribuiu pro fato de que ela nunca foi famosa nem almejou tal posição. Thomas Pynchon, um dos mais renomados autores norte-americanos, é tão sumido, mas tão sumido, que a única foto que se tem dele é de quando ele ainda era um garoto – e hoje ele é um senhor que já entrou naquele espaço entre o "ainda ativo", o "a qualquer momento" e o "desembarque concluído com sucesso". E a marroquina Muriel Barbery, que depois de publicar seu segundo e estrondoso livro, fez as malas, fechou o zíper e se mandou pro Japão, onde vive até hoje. Diz-se também que o vencedor do prêmio Nobel de literatura Patrick Modiano é extremamente tímido, avesso a entrevistas, odeia publicidade, não suporta falar em público e chegou a guaguejar na coletiva de imprensa em agradecimento por ter levado o prêmio.

É, os casos são muitos, inúmeros e suscitam algumas questões.

Num país onde temos milhões de analfabetos e a leitura não está ainda entre os grandes hábitos de seus habitantes, ver um autor que se coloca perante o mundo de forma tão hiperbólica pode gerar sentimentos conflituosos. Inicialmente, pode tender-se a vê-los como pessoas que encaram a escrita como uma profissão cujo retorno é o mesmo de qualquer outra: dinheiro, contas pagas, possibilidade de se dar alguns mimos e poupar pro futuro. E ainda se fosse assim, isso não teria nada de mais. Mas provavelmente não pra puristas, que tendem a ver a literatura como uma forma de arte pra poucos, segregária. Ainda assim, talvez valha questionar: seria apenas isso, ou tem algo de narcísico nessa história? Alguns escritores defendem que todo escritor éególatra. Será mesmo?

Por outro lado, como no mercado editorial de hoje tal atitude não chega mais a ser um diferencial, sair em busca de leitores, compartilhar um pouco de si, de seus próprios gostos, opiniões e desejos, não deixa de ser uma sanha hercúlea, espargida ao longo de páginas e páginas da internet, além de eventos e mais eventos literários no país (que, aliás, têm se multiplicado como gremlins. Só que gremlins do bem).

Estaríamos, então, apenas testemunhando um retrato do nosso tempo? Sem dúvida. Mas mais do que isso, viver na era do escritor midiático é ter a possibilidade de observar, em tempo real, a transformação de um país. E se existe algo complexo de se fazer é compreender um processo enquanto ela ainda está acontecendo. Depois que ele se instala, que suas bases estão solidamente fincadas no chão, muitos olham de cima e dizem: "que beleza ficou, hein?!", enquanto os olhos passeiam pela obra, admirados.

Ter a capacidade de entender como se dá a relação atual do escritor e sua obra com seus leitores, porém, talvez não seja tarefa pra agora. Claro que, por enquanto, é prudente irmos tateando, tentando sentir onde está o interesse verdadeiro em formar leitores e vender livros, e a falta de ética, a corrida pelo ouro, que pode muito bem nem existir, ou esgotar muito rápido.

Contudo, tendo eu nascido num momento do meu país em que o jovem que gostasse de ler era logo rotulado de maneira espúria não apenas pelos de sua idade, mas igualmente por tios, tias, e até mesmo pelos pais, que consideravam o hábito algo "muito bonito, mas..." e esse "mas" era que matava.

Ler era sinônimo de ser ou querer ser alguém à parte; ou por querer conhecimento que os outros não tinham, ou por estar "perdendo oportunidades de viver a vida de verdade", o que geraria um "arrependimento" quando o tal eremita literário se tornasse adulto. Eu mesmo ouvi isso inúmeras vezes e até hoje me pergunto em que momento esse arrependimento vai chegar.

Esse dar-se conta de que as coisas estão mudando e a nítida certeza de que jovens se tornam leitores cada vez mais cedo – e sem ninguém dizendo qualquer tipo de bobagem – me faz ter a percepção de que nenhum escritor que se dignifique a sair de casa para ir ao encontro do seu público, ou que ligue o computador pra, ainda que virtualmente, possa se aproximar mais de quem se deixa tocar por sua obra, jamais fará esse movimento em vão.

# EMPRESTAR LIVROS: UMA ARTE

Em pleno século de leitores digitais, a ideia de emprestar um livro pode até começar a cair em desuso, já que o compartilhamento de arquivos faz com que um livro emprestado seja o mesmo que um livro doado – sem a necessidade de retorno, ainda que até os dias de hoje isso seja uma atitude que, se descoberta, poderá fazer você ter problemas com a lei – além do fato de que, assim como em relação aos DVDs e demais produtos, passear com desenvoltura pelo universo dos livros piratas faz com que nem o autor, nem a editora, recebam um só centavo pelo livro, o que gera uma série de problemas mercadológicos e de direitos.

Mas isso é uma outra discussão.

Quero tratar da ideia de emprestar livros físicos, daqueles que podem ter menos de cem páginas até portentosos calhamaços, por vezes, associados a tijolos – simbólicos ou não.

Conheço, por exemplo, gente que já pediu livro emprestado pra segurar porta. Com o desuso daquelas tartaruguinhas cheias de areia vendidas nos semáforos (e com o advento da proliferação de criadores de gatos em anos recentes, que ao descobrir tais seguradores de porta faziam com que a faxineira tivesse que varrer toda a casa de novo e quem sabe até pensasse em dar um sumiço no bichano), compêndios do tipo "1001 livros para ler/filmes para ver/cidades para visitar antes de morrer" e suas variações com milhares de páginas acabaram por tomar o lugar do quelônio nas portas das casas e apartamentos.

Acontece que esse tipo de "obra", por assim dizer, não é onipresente, e muitas vezes, você se vê na situação de ter de emprestar aquele livro da Colleen McCullough (cujo livro menos volumoso, ao que parece, é *Os pássaros feridos*, um clássico que ninguém mais lê, de mais de quinhentas páginas) pra sua tia que nunca passou dos livros pra adolescente da época de escola. Você olha pra ela com aquele olhar fulminante, sabe que o livro vai se prestar a qualquer outra coisa, mas vá lá, ela cuidou do seu avô até a morte dele, dá pra você quebrar esse galho. E assim começa a sua vida de emprestador ou emprestadora de livros que, muitas vezes, jamais retornam.

Particularmente, desenvolvi algumas técnicas a respeito dos empréstimos. Quando adolescente, nos tempos pré-impressora pra qualquer coisa (só se podia gastar tinta com trabalhos do colégio), eu mesmo pegava um papel e fazia três colunas com caneta Bic, e em cada uma delas, umas trinta linhas. Depois emoldurava tudo pra ficar mais bonitinho esteticamente e *voilà*, eu não tinha mais como perder nenhum livro! Terminado o trabalho, eu pregava o papel atrás da porta do guarda-roupa e pronto, era só esperar quem viesse a inaugurar minha nova folha.

Só que eu não contava com fatores externos à minha atitude. Dentre eles, o fato de que muitas vezes eu, sempre a alma altruísta, emprestava o livro que estivesse lendo – e você lembra onde se encontrava a folha na qual eu deveria anotar os empréstimos, né? Some-se a isso minha memória sempre muito falha. Eu chegava em casa e cadê me lembrar de anotar?

Havia ainda o Leitor Revoltado: muitas vezes a pessoa que queria tomar o livro de empréstimo era um primo, amigo, vizinho. E lá iam eles até a minha casa. Livro escolhido, retirado da prateleira, eis o diálogo que se seguia:

Eu: Pera, falta só uma coisinha.
Leitor Revoltado: O quê?

Eu: Tenho que anotar o livro que estou emprestando, senão esqueço e você fica com o livro pra sempre.

Leitor Revoltado: COMO ASSIM??? VOCÊ ESTÁ ACHANDO QUE EU VOU ROUBAR O SEU LIVRO???!!!

Eu, tentando manter a calma: Não. Quer dizer, se daqui a um mês você me devolver, não vou achar isso.

Leitor Revoltado: Aff, Marco, você acha que eu vou conseguir ler um livro *deste tamanho* (aqui, geralmente o Leitor Revoltado abre os braços até onde pode sem fazer com que suas mãos se encontrem atrás das costas) em *um mês*? Não, se for assim, pode ficar com esse seu livro véi do cão!

Eu: Calma, "um mês" foi só uma expressão. Eu quis dizer "depois de um temp..."

Leitor Revoltado: Quer saber? Não quero mais livro emprestado nenhum não!

Ainda na minha casa, eu passava por alguns outros perrengues. Eis a situação: livro escolhido, retirado da prateleira, lá vou eu pro guarda-roupa.

Leitor Criminoso: O que é isso?

Eu: Preciso anotar o livro que estou emprestando blá blá blá.

Leitor Criminoso: Ah, que legal! Que organizado! Deixa eu ver como você faz?

Pausa dramática. O Leitor Criminoso se aproxima do papel pregado na porta.

Leitor Criminoso: INDIVÍDUO?! Como assim, "indivíduo"?

Eu: É que eu empresto livros pra amigos, primos, tios, tias e toda a parentada, colegas de colégio... como ia caber todos esses substantivos no espaço de uma coluna da folha? Ainda tinha que sobrar espaço pra "Título do livro" e "Data do empréstimo", né?

Leitor Criminoso: Pois eu me recuso a ficar abaixo da alcunha de "indivíduo". *Indivíduo*, Marco, é coisa pra criminoso. Você quer ser um emprestador de livros ou um delegado? Porque se isso agora for uma delegacia...

Eu, interrompendo: Escute aqui, se a carapuça serve, é problema seu. Chega. Vai ser indivíduo e pronto. E fique é feliz porque antes eu nem emprestava livros. Eu tentando evoluir, e a pessoa não deixa! – E soltava aquele palavrão. Qualquer um que vier à sua cabeça, use a imaginação.

Hoje, por conta de episódios assim, classifico todo mundo nessa coluna como "amigo", ainda que seja da família, colega de trabalho ou aluno. Vai que fazendo desse povo leitor eles se tornam menos carentes/melindrosos?

Fora aqueles que queriam uma lista só pra eles. Como geralmente eram amigos de longa data, levavam 5, 10, 15 livros de uma só vez. Aí lá vou eu fazer um "puxadinho" ao lado da lista oficial com a lista só pro amigo.

Já recebi livro com dinheiro dentro. Não, a pessoa não me pagava nada pelo empréstimo. Era esquecimento mesmo. Meus livros já foram marcados com cédulas de 5, 10, 50 reais. E eu devolvia. Não porque eu ache que seja uma questão de idoneidade ou caráter não fazê-lo (achado não é roubado. E se a pessoa esqueceu, na certa não andava precisando. Ao contrário de mim, sempre com novos livros pra comprar). É que eu não suportava saber que meu livro tinha sido marcado por uma coisa suja como aquela.

Eu: Olhe aqui, Fulano! Como é que você usa *dinheiro* como marcador de livro?

Como resposta, a frase mais cara-de-pau possível.

Leitor Sem Dívidas: Sério que eu esqueci dinheiro dentro do teu livro????

Eu: Deixou. E se você não vier buscar, eu gasto. E gasto mesmo.

Leitor Sem Dívidas: Não tem como tu me entregar quando a gente se ver não?

Eu: Tem não. E eu não quero saber de livro meu sendo marcado com dinheiro. Fica sujo e fedido. Obrigado.

Como é de se esperar pros que praticam esta arte, tive muitos, muitos dissabores com livros que foram intactos e voltaram como se tivessem sido estuprados por uma dúzia de milicianos, com as capas quebradas bem no meio, com manchas de toda sorte (ou azar), folhas dobradas e claro, aqueles que nunca mais voltaram.

Apesar de tudo isso, não desisto de emprestá-los. Lembro quando eu tinha poucos livros, porque a mesada não dava pra comprar muitos. Eram tão poucos que eu os colocava com a capa virada pra frente, lado a lado, numa pequena prateleira. E eu não os emprestava nem se alguém quisesse fazer uma consulta na minha frente. Como assim, emprestar livros? Por acaso alguém empresta filhos? Era assim que eu os via, com essa mentalidade de tamanduá.

Quando isso mudou, eu estava ciente dos riscos. Ao longo dos anos, sei que valeu muito mais a pena do que não, apesar das perdas. Sei que ajudei a formar leitores, e isso me deixa sempre com um ar de alegria no olhar, ainda que ninguém entenda. Mas sim, emprestar requer coragem. Ainda mais pros apegados. E eu conheço vários. Tenho amigos e colegas que sempre prometem emprestar seu livro pra um ou outro, e todas as vezes que se veem, cadê o livro? "Ah, esqueci", diz o amigo que prometeu o livro. Na primeira e na segunda vez até que cola, depois, só demonstra o nível de apego ao objeto e falta de interesse, mesmo.

Eu mesmo não empresto meus livros autografados, nem aqueles cujas edições eu gosto e que já não existem mais no mercado. Fora isso, todo o resto está liberado – mesmo ciente do medo de nunca mais ver meu exemplar.

Portanto, se você é adepto dessa prática, regozije-se: você é um ser desenvolvido, quase uma Madre Teresa literária.

# É POSSÍVEL SEPARAR O AUTOR DE SUA OBRA?

Desde pequeno, quando a literatura era pra mim apenas um refúgio, fui naturalmente desenvolvendo o hábito de ser muito curioso em relação não apenas às outras obras do autor que me arrebatara, mas gostava também de ir atrás de sua vida – nunca de devassar sua vida pessoal no sentido de me inteirar de fofocas nem fatos irrelevantes (saber que o autor Fulano de Tal foi enterrado com cueca branca de bolinhas vermelhas, por exemplo, foi algo que nunca me interessou). O que me interessava de verdade era saber seu percurso humano, os caminhos e descaminhos que fizeram dele ou dela a pessoa que veio a colocar pro mundo algo que acabaria fazendo parte da minha própria construção, ou que simplesmente me divertira por alguns dias ou horas.

Descobri, um pouco mais tarde, que não estava sozinho. Se tem uma coisa que parece unir os que amam a literatura é a curiosidade. Fiz amizades que compartilhavam comigo desse mesmo interesse, e com elas, passava horas no recreio, debatendo obras e autores. E isso quando tudo o que tínhamos era uma fileira de volumes da enciclopédia Britannica pra consultar.

Daí que hoje, com uma internet tão repleta de informações que encontramos até o que não procuramos, e que, muitas vezes, nos deixa ainda mais desnorteados, você vai lá no Google e descobre uma miríade de fatos, dentre eles, o de que seu novo autor favorito já matou alguém, batia na mulher, fervia água pra jogar em gatos, era racista e o escambau.

É quando nos fazemos a fatídica pergunta: qual tem um valor/significado maior, o autor ou sua obra? É possível separar o autor daquilo que ele escreve, ou a partir daquele momento você nunca mais conseguirá ler um livro de A ou B, ou pelo menos jamais o fará com os mesmos olhos, uma vez que determinado fato ficará para sempre perturbando sua leitura?

Certamente – pode-se conjeturar – há casos e casos. Talvez alguns digam que não possamos separar um autor que apregoa determinadas condutas sociais, políticas, comportamentais, em uma obra que se propõe mais, digamos, panfletária, através de artigos, ensaios, colunas de jornal e que, na vida privada, faz o extremo oposto. Mas podemos dizer o mesmo de um autor de ficção?

Até que ponto a obra é a essência do que pensa o seu autor? E até que ponto, não sendo o que o autor de fato pensa ou como age enquanto ser social, seria a obra válida?

Onde termina o autor e começa a obra e vice-versa?

Foi pensando em todas essas questões, e em alguns casos bem diferentes entre si, que resolvi refletir um pouco a respeito.

Vamos começar com um autor que em sua época foi amplamente venerado, e o é até hoje na Inglaterra e em diversos países de língua inglesa: Charles Dickens. Autor de diversos livros icônicos da literatura inglesa e quiçá mundial, como *Oliver Twist*, *Um conto de duas cidades* e *David Copperfield*, Dickens era um legítimo calhorda com sua esposa. Ele fazia coisa pouca, como por exemplo, bater nela. Charles Dickens separou-se de Catherine Dickens em 1858, alegando que a esposa era mentalmente instável e para quem "o papel de esposa e mãe não cabia". Por anos foi nisso que se acreditou, até que a verdade foi descoberta em 2010: ele a tratava mal de muitas maneiras, e usou-se de sua fama e seu poder à época pra reverberar essa mentira porque, na verdade, queria uma desculpa plausível perante a sociedade inglesa pra casar-se com a jovem atriz Ellen Ternan, que tinha a idade de uma de suas filhas. E como o divórcio era impensável na Inglaterra vitoriana, a novelesca saída foi a de denegrir sua esposa e, com isso, ter um álibi. Afinal, Dickens era o escritor queridinho de todo um país e não poderia perder este posto. De fato, não perdeu.

E no que saber disso afeta em sua vasta obra? Resposta: em nada. Nada, nada. Todos os envolvidos já estão mortos, a obra permanece, mesmo passados quase cento e cinquenta anos da morte do autor.

Entretanto, refaço a pergunta: saber desse criminoso ardil pra conseguir outro casamento, faria com que você lesse uma obra do autor de outra maneira? Cada qual com sua forma de significar as coisas. Mas vamos refletindo, que ainda tem mais.

Outro que deixou o mundo estarrecido foi Louis-Ferdinand Celine. O autor chegou aos pincaros da grandiloquência literária com o seu *Viagem ao fim da noite*, de 1932. Foi um livro tão desconcertante para a literatura daquela época, que não conseguiam determinar em qual estilo ele se enquadrava. Celine alcançou fama imediata com o livro, que o alçou à glória. Entretanto, com o nazismo avançando pela Europa, e a subsequente invasão da França, Celine tornou-se um vil e ativo colaboracionista. Durante a ocupação francesa, escreveu e publicou três manifestos antissemitas que pregavam o extermínio dos judeus, sem exceção. Entretanto, terminou seus dias praguejando contra a humanidade e tornou-se desacreditado perante o mundo. Seus árdegos discursos favoráveis ao nazismo estão até hoje proibidos de circular.

Não acho que seja fácil ler uma obra, por melhor e mais aplaudida que seja, quando se tem conhecimento de algo dessa magnitude.

O Brasil também tem seus exemplos. O mais público e notório é o de Nelson Rodrigues. Conhecido por ser um famoso criador de frases de efeito e autor de peças famosas até hoje, como *Vestido de noiva*, o escritor pernambucano era amigo pessoal do presidente Médici e um verdadeiro lambe-botas de generais. Não é segredo de ninguém que ele apoiou a ditadura inclusive no período de 1969 a 1974, os chamados "anos de chumbo", e seus posicionamentos conservadores e reacionários também fizeram história.

Mais recentemente, Monteiro Lobato foi acusado de ser racista. De fato, ele o era. Admirador da Ku Klux Klan e membro da Sociedade Eugênica de São Paulo, Lobato, por assim dizer, "transferiu" parte de sua visão de mundo para sua obra. Para piorar, *Reinações de Narizinho*, que está no catálogo do MEC de livros a serem distribuídos em escolas públicas, tem uma passagem em que a personagem Tia Nastácia é chamada de "negra de estimação", e por este motivo foi achincalhado de todas as formas em blogs, jornais e revistas em anos recentes. Quiseram retirá-lo do dito catálogo e fizeram uma bela gritaria.

Claro que racismo é racismo em qualquer época, mas pode-se ou deve-se, por isto, remodelar a obra, ou mesmo deixar de difundi-la? Eis aí mais uma questão dentre tantas outras envolvendo autor e obra.

Outro caso interessante: Anne Perry é uma popular escritora inglesa. E prolífica, também (publica em média dois livros por ano). Perry é autora de dezenas de romances históricos de detetive e também autora de um crime. Eis o caso.

Em junho de 1954, quando ela tinha 15 anos, Anne Perry (que na época se chamava Juliet Hulme) juntou-se a uma outra amiga adolescente, Pauline Parker, pra assassinar a mãe desta amiga. O motivo? Os pais de Perry estavam em processo de separação, e ela ia morar noutro país, só que as duas amigas não queriam se separar. Então, premeditadamente, durante uma caminhada com a mãe de Pauline numa trilha isolada, Perry deixou cair uma pedra ornamental. Quando a mãe da amiga abaixou-se pra pegá-la, Pauline pegou um tijolo que estava enrolado numa meia-calça e atingiu sua mãe. As meninas achavam que uma pedrada só seria suficiente pra matá-la. Mas as duas tiveram que dar mais de vinte golpes na cabeça da mulher. Resultado: foram presas, mas como as leis não previam pena de morte à época, foram soltas cinco anos depois. E no fim das contas, o plano não deu certo, porque elas foram presas separadamente.

Como ler a obra dessa mulher sabendo que, de alguma maneira, o crime nunca a abandonou? Seria este o caso de expiação dos pecados, e entender que esta foi a forma dela de lidar com a questão e seguir em frente?

Outra tonitruante voz no universo literário é a do Ernest Hemingway. Vencedor do Nobel de Literatura em 1954 e de outros prêmios importantes ao longo da vida, Hemingway tinha um comportamento pessoal autodestrutivo e igualmente destruidor. Tendo ele morrido pelas próprias mãos, não surpreende o pensamento de que ele, em vida, tinha uma alma bastante torturada... o que certamente não o autoriza a retalhar em pedaços as pessoas que estavam ao seu lado. Seu temperamento difícil era apenas um dos motivos dele ter tido tantos casamentos e poucos amigos verdadeiros. John Dos Passos, um renomado escritor (ainda mais à época), foi dos poucos que se dignificaram a estar ao lado dele e que também foi destruído pela inveja e por calúnias do Nobel (cujo reconhecimento, na época tão grande quanto o do próprio Hemingway, hoje não passa de um escritor respeitado, mas pouco lido, o que demonstra que além de escrever bem, Hemingway também sabia dizimar eximiamente). Não restou pedra sobre pedra da amizade deles após a guerra civil espanhola, como também não restou muito mais do próprio

Hemingway, cujo corpo também se dilacerou em doenças e achaques movidos pelo ódio que destilava contra todos.

Agora, esqueçam escritores assassinos, destruidores de amigos e amizades, racistas ou nazistas e lembremos da figura de Christopher Hitchens. Considerado um dos grandes gênios do jornalismo norte-americano, Hitchens era um ateu ferrenho. Fez vídeos e escreveu textos depauperando a imagem da Madre Teresa de Calcutá, a quem chamava de assistencialista e charlatã, dentre outros adjetivos menos publicáveis. Além disso, Hitchens era um notório belicista. Defendeu, do início ao fim, a invasão do Iraque feita pelos Estados Unidos, mesmo quando nenhuma arma de destruição em massa (o que supostamente suscitou a invasão e os ataques) foi encontrada. Hitchens defendia a guerra como meio de se chegar a um fim num curto espaço de tempo – só que a tal "guerra" durou quase uma década. Sempre um grande causador de polêmica, Christopher Hitchens não se eximia de falar sobre o que quer que fosse, criando casos públicos com figuras das artes, da política e das religiões, como a já mencionada Madre Teresa de Calcutá, o que angariou inúmeros desafetos ao escritor ao redor do mundo. Um homem de opiniões fortes, ou um detrator inveterado? As opiniões se dividem. Difícil é ler algo do polêmico escritor sem ter em mente que ele era um grande causador de confusão.

E pra finalizar, o caso de Orson Scott Card. Alguém sabe quem é ele? Eu também não, mas nos Estados Unidos, de onde ele é, o rapaz tem alguma fama. Foi publicado no Brasil, nos anos 80, e depois só mais recentemente, em 2013. Orson Scott Card escreve livros de ficção científica, mas por razões religiosas, tornou-se um grande lutador contra as questões LGBTs. Em 1990, publicou um artigo afirmando que "os indivíduos que saem do comportamento sexual regular da sociedade não podem continuar sendo pessoas aceitas como iguais dentro dessa mesma sociedade". De lá pra cá, Card continua sendo um sério ativista *contra* os direitos dos homossexuais. Por esta razão, tem sofrido boicotes e manifestações públicas contrárias ao seu direcionamento. Em 2013, a DC Comics lançou uma nova série de quadrinhos do Superman, e a primeira edição seria escrita *justamente* pelo Orson S. Card. Rapidamente, manifestações pediram a saída dele do projeto. A editora, entretanto, apoiou seu contratado. Até que outro artista que também estava ligado à série resolveu desembarcar do projeto por conta da presença do homofóbico Card – e a história de Orson Scott Card foi engavetada até hoje.

Da mesma maneira, *O jogo do exterminador*, filme baseado em livro do autor, também tem sofrido boicotes desde seu lançamento, o que fez com que a Lionsgate, produtora do filme, divulgasse uma nota, onde se pode ler: "Nós obviamente não concordamos com a visão pessoal de Orson Scott Card (…). De todo modo, ela é completamente irrelevante para a discussão pelo simples fato de o filme ou o livro não refletirem esta visão de nenhuma maneira ou forma".

A empresa está certa em defender o seu produto, claro.

Mas mais uma vez voltamos à questão primeira: É possível separar o autor de sua obra? Como ir ver um filme baseado em um livro de alguém que, há tantos anos, advoga contra as ditas minorias? Se eu sou contra o que ele pensa, é moralmente lícito investir meu dinheiro em quem tem um pensamento que bate de frente com o meu?

Diante de todos os casos apresentados, *como* se deparar com a obra do autor – que pode ser muito boa, afinal – e dedicar tempo a ela sabendo que a pessoa por trás daquele livro é desprezível?

Não tenho a resposta para isso, mas acho que vale uma reflexão.

# O PROBLEMA DAS PRATELEIRAS

Entre um afazer e outro pela casa, muitas vezes, me pego parado, olhando admirado como quem assiste a uma *aurora borealis*, para as minhas prateleiras de livros. Penso que, inserido até o pescoço no caos urbano e sem ter paisagem pra onde olhar das janelas do meu apartamento, fazer essa quebra de ritmo, ainda que inconsciente, é uma forma de dar pausa na loucura do mundo, uma maneira de ser feliz nas horinhas de descuido, como nos instava a fazer Guimarães Rosa.

Semana passada me peguei novamente fazendo este mesmo percurso do olhar sobre os livros nas prateleiras. Foi quando tive uma epifania. Não uma como a de Clarice Lispector, que vinha andando no calçadão da praia se sentindo a mãe do mundo até que de repente pisou num rato e passou então a se sentir a própria carrasca do inferno. O meu foi de ordem bem prática.

Acontece que nas prateleiras que fui conquistando aos poucos, a coisa também está feia. Tive, naquele instante, a certeza de que eu estava olhando pra a própria Torre de Babel, em plena construção diante dos meus olhos.

Explico-me: foi-se o tempo em que eu tinha espaço pra colocar meus livros em pé, lado a lado, com a lombada pro lado de fora, como deve ser. Atualmente, sobre os livros se amontoam outros livros. E antes eu ainda conseguia empilhá-los de forma a que se pudesse enxergar os títulos, com várias pequenas pilhas de livros uma ao lado da outra, sobre os livros em pé. Agora nem isso. Para que todos encontrem seu espaço, eles têm de ficar deitados, mas na posição vertical, pra ter espaço para mais pilhas de livros lado a lado, e se antes eu ainda podia colocá-los separado por gêneros, agora é onde couber.

Neste momento, tenho Pulitzers por cima de Nobéis, livros sobre ateísmo por cima de livros sobre religião e história e filosofia, todos juntos, numa reunião que parece mais a festa de aniversário do Chapeleiro Maluco.

Some-se a isso o fato de que a Dona Maria, quando vem fazer a limpeza da casa, acaba tirando meus livros pra limpar, e só Deus pra entender a ordem em que ela os *devolve* para a prateleira. Antes, eu ficava fumaçando. Hoje, dei-me por vencido. Se a torre de Babel já está em andamento, do que adianta, se ninguém tem mesmo como se entender? Às vezes tento pelo menos juntar os livros dos mesmos autores, porque encontrar Machado de Assis perto de Santo Agostinho ou Sherlock Holmes, não dá.

Mas isso não é tudo.

Ontem me deparei com o romance *O pintassilgo*, de Donna Tartt. Como a mente tem mania de dar reviravoltas que parecem figuras saídas das obras de Hieronymus Bosch, me peguei lembrando de um outro livro da mesma autora e que também tenho: *A história secreta*, numa edição capa dura, comprada em banca.

Isso me trouxe à mente não apenas o fato de que eu ainda estou me devendo à leitura do livro do passarinho, como também o fato de que, provavelmente, eu jamais lerei *A história secreta* na versão que possuo.

Não tenho a menor ideia de por que compro livros de coleção de banca (tudo bem que a última vez foi essa, há mais de dez anos) se na verdade acabo doando os exemplares pra ter uma justificativa pra comprar as edições convencionais. Deve ser isso: no fundo, compro uma edição mais barata pra presentear alguém com uma edição que sai mais em conta e ter uma desculpa pra *me* presentear. Freud explica, porque também dou livros em formato convencionais, e me considero uma pessoa super mão aberta.

O certo é que sou um profuso acumulador de livros. E é algo sem remédio.

De alguns, tenho a edição convencional (pra emprestar), a autografada (que não sai de casa nem sob tortura, tipo aqueles "livros cativos" da faculdade, nos quais a gente podia passar a tarde toda estudando, mas que ficavam "acorrentados" à biblioteca) e, quando acontece, a edição em outros idiomas. Pra quê?

Eu não sei.

Mas que o hábito de juntar é intrigante, não tenho nem dúvida. O colecionismo pode se dar por muitos motivos. O meu é, claramente, o apego ao objeto livro – que muitas vezes me salvou, então é algo como uma enorme gratidão. Mas só esse sentimento não faz ninguém se tornar um exímio juntador de livros. É preciso também ser um tonitruante viciado em aventuras. Na impossibilidade de ter todas as que eu gostaria do lado de fora deles, em todos os sentidos físicos e espirituais, lanço-me aos livros como quem se joga para dentro do mundo, explorando-o com dedicação e afinco. E nesses desbravamentos, acabo acumulando muito mais do que provavelmente jamais terei tempo de vida pra ler.

Há alguns dias, fiz uma ligação pra loja onde costumo comprar os livreiros que tenho em casa e descobri que o preço deles aumentou absurdamente. Mesmo assim, não me fiz de rogado: perguntei sobre a possibilidade de um preço melhor caso eu comprasse duas e pagasse em dinheiro.

Do outro lado da linha, o homem hesitou.

Eu insisti. Ele disse que ia ter que falar com o patrão. *Pois fale*, eu pedi, disfarçando o tom de súplica. Ele anotou meus telefones e disse que daria um retorno *naquele mesmo dia*.

Tendo se passado mais de uma semana, compreendo, daquelas certezas cabais, que o caos e a desordem que imperam nas minhas prateleiras estão longe, bem longe, de acabar: espero a ligação do vendedor até hoje.

# UMA DEFESA DO *BESTSELLER*

Muito já se falou e se escreveu sobre os livros que vendem mais do que cachaça em boteco dia de sábado, os "famigerados" *bestsellers*, exaltados por um determinado nicho de leitores e execrados por outro, o dos que "leem coisa melhor" e que, aliás, se pudessem, mandavam queimar os da primeira turma, *bestsellers* e tudo, numa enorme fogueira, bem longe do dia de São João, que era pra todo mundo saber que o evento ali é festivo, mas por outro motivo, no melhor estilo Inquisição naquela época em que todo mundo que tinha qualquer poderzinho andava gritando feito a Rainha de Copas por aí, querendo tocar fogo ou cortar a cabeça de todo mundo, diante de plateias ávidas e sedentas.

E aviso logo que não estou aqui pra falar novidade alguma (tem como, sendo esse o tópico?). "Por que escrever sobre o assunto, então?", já posso ouvir vocês perguntando daí. E eu respondo: porque sim. Porque eu quero e acho que devo. Além do mais, eu também tenho história pra contar a esse respeito.

Estou aqui, na verdade, por dois motivos bárbaros (segundo a definição dos gregos e romanos, por favor): 1) falar da minha relação com a dita categoria de livros. (Fazer relato pessoal não deixa de ser uma boa oportunidade para trocar ideias) e 2) pra defender essas obras de gosto duvidoso (e seus leitores também).

A fim de uma conversinha de pé de ouvido? Então vem.

Nunca ouvi falar de ninguém – ninguém mesmo, zero, nada – que tenha começado a ler por obras já consideradas estupendas, importantes etc. e tal. Aliás, existem dessas obras que hoje são consideradas ícones, mas que, na época de sua publicação, eram populares que nem pão quente. Exemplo disso? Charles Dickens. Dickens era o Sidney Sheldon, o Harry Potter, os vampiros do *Crepúsculo*, da Era Vitoriana, em termos de vendas. Seus livros chegavam de navio, e tinha gente pulando dentro d'água no afã de pegá-los o quanto antes (talvez sem lembrar que pra isso o livro teria de ficar encharcado, mas naquele tempo ninguém sabia ainda o que é histeria coletiva. Tenho minhas dúvidas se hoje sabem, também). E, atualmente, embora quase ninguém o leia, ele é considerado um "grande autor", seja lá o que isso possa significar nas entrelinhas.

Pois bem, retomemos minha apologia ao *bestseller*.

Assim que eu comecei a ler, ganhei aqueles livros com figuras enormes e duas linhas com letras pra míopes. Lembro de um do Pedro Bandeira, chamado *Trocando as bolas*, que era precisamente assim. E Pedro Bandeira já era, naquele tempo, um autor *bestseller*. Talvez dos poucos brasileiros que se sustentam só com a literatura. E este foi meu primeiro livro da turma dos mais vendidos.

A partir daí, não parei mais. Com pouco tempo, estava lendo a série *Vaga-lume*, outro enorme *bestseller*. Aliás, era o que a moçada da minha geração mais lia naqueles tempos. Uma série inesquecível que até hoje reverbera em muitos dos caminhos que tomei enquanto leitor. Os livros de Marcos Rey, ou clássicos como *O escaravelho do Diabo, Éramos seis, A ilha perdida*, dentre tantos outros, quem nunca?

Descobrir outros *bestsellers* da época, tais como Sidney Sheldon, Danielle Steel, Harold Robbins, Agatha Christie, foi uma questão de (pouquíssimo) tempo. E eu devorava tudo, compartilhava tudo o que podia, trocava muitas coisas além dos livros: ideias, reflexões, pensamentos. E foi também quando o amor pela literatura se estabeleceu para sempre. Incondicionalmente. Não é à toa que eu digo que minha relação mais duradoura na vida não é com gente: é com os livros.

Foi mais ou menos por essa época, também, que eu vi o primeiro nariz ser torcido para aquilo que eu lia. Não me perguntem qual era o livro, mas certamente era alguém da turma mencionada acima, ou algo muito semelhante. Ouvi algo do tipo, "isso não é literatura. Quer ler algo que preste, vá ler Camus, Zola, Machado de Assis, Calvino blá blá blá" – a lista foi longa. Bocejei na cara do sujeito e continuei minha leitura.

Tempos depois, eu viria a descobrir esses e muitos outros da lista, mencionados ou não, sempre gostando mais de uns, menos de outros e nada de outros. Émile Zola, por exemplo, é um que não desce, e eu não gasto mais meu tempo com ele.

Longos anos mais tarde, quando eu já havia dado uma guinada no tipo de livro que lia, surgiram outros campeões de vendas, Harry Potter e a saga Crepúsculo encabeçando a lista. Inicialmente, eu quis seguir a maioria execradora de livros e leitores de *bestsellers*. E quando meu nariz também se preparava pra torcer, eu me dei conta: menos moralismo, por favor. Você começou pelo equivalente a todos esses que estão aí.

Eu achava muito estranho aquelas vendas estratosféricas (não sei se Sidney Sheldon vendia como um Harry Potter, embora tivesse edições sucessivas de seus livros nos tempos áureos, mas a impressão que eu tinha, era que os *bestsellers* do final dos anos 90 em diante vendiam mais, bem mais). No fundo, eu tinha era inveja. Queria escrever, queria ser um deles, e minha reação era chamar de feio o que não era espelho, fazer uvas maduras se passarem por verdes.

Ler *bestseller* é sempre melhor do que não ler coisa alguma. Livros são vertentes pra vida, e a vida é, na maioria dos casos, melhor do que a morte. Viver implica em criar, em transgredir, em se reinventar. A leitura escancara todas essas possibilidades. É arte. Octavio Paz já dizia que o homem nada mais é do que imaginação e desejo. É através do sublime ato criador que podemos chegar aos pincaros do gozo.

E tem mais: esperneiem-se o quanto quiserem com a hipocrisia moralista, ninguém nunca vai tirar os *bestsellers* de mercado. Na verdade, a tendência é que estes continuem flamejantes nas prateleiras, nos *e-readers*, e quem tem de se cuidar são os autores da dita "literatura séria" (o que, convenhamos, também é uma lástima).

Ainda hoje, passados trinta anos daquele primeiro *bestseller*, me custa compreender por que as pessoas têm tanto prazer em cuspir em quem lê livros que estão nas listas dos mais vendidos. Não raro, leitores evoluem, por mais que se diga o contrário. E voltando ao que eu disse no começo, não conheço um só ser humano que tenha se voltado pro mundo da leitura sem antes ter passado pelo conjunto dos livros que vendem aos milhares ou milhões.

Ninguém tem a obrigação de ler Harry Potter, nem toda essa gama de livros que elevam o sexo em seus livros à condição de protagonistas, acima inclusive de tramas mais elaboradas. Nem livros sobre vampiros, nem a última moda em torno de bestas que se veem convivendo com seres humanos, os zumbis, além de Dan Brown e seu detetive que desvenda códigos. Isso pra não falar em Paulo Coelho, Martha Medeiros e esse monte de padre enrustido que publica livro adoidado e que também vende em quantidades grandiloquentes, coisa de deixar todos os outros escritores brasileiros se doendo de inveja.

Daí você pode me ver e perguntar, E como é a *sua* relação com estes livros? Quase nula, responderei com serena sinceridade. Um ou dois, dentre os quase cinquenta livros que leio a cada ano. E isso não invalida sua defesa?, alguns perguntarão quase apontando um dedo. Tanto quanto invalidaria um heterossexual por defender os direitos de um homossexual, ou de alguém em pleno controle de seu corpo defender os direitos de alguém com graves limitações. Portanto, não. O fato de eu (quase) não ler *bestsellers* não me tira o direito de apoiar aqueles que o fazem.

Evidentemente, estaria sendo hipócrita se dissesse aqui que não mantenho um fio de esperança de que este grupo de leitores – a maioria, diga-se de passagem – possa vir a ler outras coisas. Mas e daí se não o fizerem? Estão lendo, estão consumindo livros.

E nos dias que correm, qualquer coisa que tire alguém da frente do Faustão e afins é lucro. Se é pra perder tempo com mero entretenimento, pelo menos o fazem em silêncio, sem tirar o juízo de ninguém, com uma televisão desligada, ao invés de ligada em programecos dominicais.

De resto, que a gente possa ouvir *What a wonderful world* acreditando em cada palavra do que canta Louis Armstrong. Se tudo vai contra ele, o que nos resta é a esperança. E o mundo bem pode ser, sim, maravilhoso.

É só a gente começar a parar de se incomodar com o que o outro anda fazendo, vendo, lendo. A literatura não pode ser – não *deveria* ser – mais um fator de segregação entre as pessoas. A verdade não poderia ser mais clara: ao nos incomodarmos menos com a vida dos outros, passamos a viver as nossas.

## QUEM VOCÊ TEM MEDO DE LER?

Quando me fazem a pergunta do título desta crônica, penso logo: Taí uma pergunta atemporal. Não importa o tempo que passar, quem gosta de literatura sempre vai ter um certo medinho de encarar determinados autores.

Quando em criança, lia livros e nada entendia porque não era a época para fazê-lo mesmo. Como ler o autor Albert Camus aos onze anos? E nem se trata de fazer apenas a leitura em um determinado nível, sem a capacidade de entender o que há nas entrelinhas. Era impossível entender até mesmo a "trama principal", por assim dizer. Traumatizado por isso, até hoje tenho medo de pegar em determinados livros e não compreendê-los.

Sempre que me pego pensando a respeito dos livros que ainda tenho que encarar na vida – e digo isso sem medo algum de estar incorrendo em exagero – existem uns nomes que me fazem criar motivos pra empurrar um pouco mais pra frente. E penso na palavra *encarar* no sentido mesmo de enfrentamento, porque é o que são.

Assim, hoje quero conversar sobre os medos literários. E olhe que nem vamos falar de Stephen King. Nem daquelas leituras feitas pelo medo da arguição do pai ou da mãe. Nem ainda sobre aquela sensação horrenda que era ir fazer a prova sem ter lido o livro. Nem o medo de que o amigo que te deu um livro que você jamais leria, de presente de aniversário, pergunte o que você achou dele. Pra ajudar esse tipo de medroso, as livrarias inventaram aqueles selos de troca. Na tentativa de ajudar, criaram outro tipo de medo: o de que a resposta pra pergunta do seu amigo seja, Não sei, troquei por um melhor/Troquei por um que eu realmente queria ler/Usei pra comprar outro que era muito caro e que há anos eu queria – e outras variações dentro desse gênero.

Não, não é nada disso. Quero falar daqueles autores cuja obra nos diz alguma coisa – ainda que sequer os tenhamos lido ainda. É como entrar numa casa abandonada: só de passar em frente, já imaginamos o que pode habitá-la e cruzar o portão pode ser por demais revelador. Estaríamos preparados? Só se sabe dando este passo adiante. E é em nome dele que conversaremos sobre alguns personagens das letras que são verdadeiras assombrações da alma.

Só quem já pegou num livro de Clarice Lispector sem antes ouvir falar da literatura dela é que não a teme. E como nos dias de hoje ela está pra literatura como brigadeiro está pra festa infantil, dificilmente alguém que tenha acesso ao Facebook nunca tenha ouvido falar na grande dama que é a um só tempo ucraniana, recifense e carioca – e universal. Eu confesso que até hoje, quando pego uma obra da Clarice, me pergunto: será que vou entender? Mas não se trata mais daquele medo de criança. Não tenho mais receio de não entender a trama. Tenho medo de estar num momento da vida em que meu eu mais entranhado não me permita *sentir* o que ela tem a dizer. E não sentir é pior do que não compreender, porque o segundo, na maioria das vezes, advém do primeiro. E a literatura dela é precisamente isso, esse ir e vir de sensações, de estranhamentos e, por consequência, de compreensão.

É quando penso sobre o quanto desrespeitamos uma das regras básicas da vida. A de que há tempo pra tudo. Não no sentido de que teremos tempo *cronológico* pra tudo. Mas a de que tudo tem seu tempo. E pode até bem ser que o *nosso* tempo se esgote antes de termos encontrado o momento certo de algumas coisas, pessoas, leituras. Mas se tem uma coisa que não há como atropelar é a reverência pelo Senhor de Todas as Coisas.

Eis o motivo d'eu até hoje não ter encarado *Ulisses*. Abro, começo, e fecho novamente. Sei que não é tempo dele ainda. Será que será algum dia? Espero que sim. Do verbo *esperançar*, porque faço por onde um dia ser leitor de *Ulisses*, não espero parado, achando que um dia acordarei pronto pra ele. Medo, com certeza. Um pouco de idealização também, certamente. Mas se elegemos nossas prioridades na vida, ele não está entre as minhas prioridades literárias. Está nos planos, mas há mais porque eu *preciso* de mais, antes dele chegar à minha cabeceira e, mais importante, às minhas mãos.

A própria Virginia Woolf me chegou com ares de filho prematuro: ansiosamente aguardada, tão ansiosamente, que parece que veio antes da hora, mas não. A hora era aquela mesmo. Comecei com os contos, fui para os romances, mas voltei aos contos, que me cativam mais do que suas narrativas longas.

[Aliás, com alguns autores tenho isso, gostar mais dos contos do que dos romances. Machado de Assis, por exemplo. Por sinal, outro temido antes de ser lido, por mim e por muitos.]

Uma contemporânea de Virginia Woolf, a Katherine Mansfield, também fazia parte desse circo dos horrores. Tive de ler Mansfield, obrigatoriamente, numa disciplina na faculdade. O professor era daqueles que queria saber até o que significava o abajur verde no canto da sala. Claro que só ele sabia a resposta (que ele pensava ser) certa, mas fazia a gente chegar até ela pelo método mais doloroso, explicando cada minúcia do texto com ares de quem desvendava os segredos de um hieróglifo. Descobri então que o medo literário também podia vir de um sentimento de opressão. O medo de ser humilhado na frente de toda a turma (vai que eu era o único que não tinha entendido a mulher?), e o medo também da humilhação secreta, a do resultado da prova. Esse, menos doloroso porque não compulsoriamente compartilhado.

Alguns amigos me dizem ter medo de Guimarães Rosa. Dizem ter medo de não entender todos os seus neologismos, seus símbolos, bem como o de não mergulharem em seu universo. Compreendo-os muito bem. Eu mesmo nunca fui muito afeito a histórias cujos cenários são territórios secos, áridos, repletos de vaqueiros e mato. Até que compreendi que, ali, está qualquer um de nós, seja onde for. O cenário em Rosa é o próprio homem, e este é aterritorializado. Seja no sertão ou na Islândia, o homem é um só, e é possível se enxergar ali de tal maneira que isso deixa de ser condição *sine qua non* pra gostar.

Outro amigo me falou que tem medo de ler Paulo Coelho. Medo de lê-lo e se odiar por isso, medo de lê-lo quando há tanta leitura melhor na vida a ser feita. Mas eu desconfio mesmo é que esse amigo tem medo é de ler e gostar do tipo de coisa que o Paulo Coelho faz. Eu mesmo já tive esse medo. Li um, li dois, e descobri que eu tinha medo mesmo era de perder ainda mais tempo. E a vida, a gente sabe – urge!

E aquele medo de autores que escreviam livros que davam pra colocar no lugar de vários tijolos de uma casa? Tolstói, Dostoiévski, Roberto Bolaño, por exemplo.

O medo de ler os russos, de onde vem? Às vezes, quando ouço alguém dizer que tem medo dos russos, tenho a impressão de que elas têm medo é de ter que ler no original. Ou então não se agradam mesmo do estilo daqueles romances clássicos e classudos demais, talvez.

O mesmo se dá com Kafka. Antigamente, eu tinha medo de lê-lo e enlouquecer. Nunca fui de ter medo de enlouquecer, pelo simples fato de que me custa entender o que é ser normal. Saber viver em sociedade é uma coisa – uma arte – mas seria isso a normalidade-padrão? Mas com Kafka eu tinha isso, esse medo atávico de andar no limite entre o sono reparador e o despertar dentro de um mundo inviável de se viver. Isso porque eu sabia da biografia dele – aquele homem sempre tão aterrorizado pelos seus próprios medos, suas dores, sua alma tão perturbada. E criador de uma das literaturas mais arrebatadoras da humanidade, uma literatura sem reservas nem clemência, que arrasa sem pedir licença e quebra tudo aquilo que construímos inocentemente e chamamos de certeza.

Nunca tive medo de enfrentar meus medos. E é pra não morrer que eu os vivo.

# LEITURAS DE PRÉ-MORTE

Então foi mais ou menos assim: havia as dores. Muitas, diversas. Físicas (como se as da alma já não bastassem), mas estas eram novidade. Não se sabe ao certo quando elas começaram. Sabe-se mais ou menos quando foi o ápice. Meses e meses adiando a fatídica consulta, que levaria ao fatídico exame. Consulta feita. Exames adiados, até que seu cônjuge olha pra você e diz, E aí, aquele exame? Tudo bem, vou fazer em janeiro, você responde. Ainda faltam quatro meses. Parando um pouco pra pensar melhor, você percebe que realmente já adiou o suficiente, as dores continuam, deve ter mesmo algo de errado.

E tinha. De muito, muito errado.

É preciso fazer aquelas coisinhas chatas, quimio, cirurgia, mas depois disso, vida normal. Normal por quanto tempo? Um, dois anos. Se o senhor tivesse procurado orientação antes, mas a essa altura... (Havia sido pedido ao médico que fosse sincero, e ele foi).

Então era isso: eu tinha mais um ano, um ano e pouco, levando uma vida normal. Depois disso, ia precisar ser cuidado por alguém, alguém este que poderia querer adiar minha morte até o último segundo, colocando papinha na minha boca, acabando de vez com o juízo que muito provavelmente, a essa altura, eu já não teria mais. Antes disso, claro, eu colocaria uma bala na cabeça. Mas antes da bala de prata que viria a matar o lobisomem, eu tinha um tempo pra viver. E, clichê ou não clichê, iria vivê-lo, só que do meu jeito.

Pensando que a esta altura eu já tinha conhecido o Japão, que era o único lugar que eu *realmente* tinha vontade de conhecer na vida, podia morrer em paz. Mas havia ainda outras viagens que eu não havia feito: a dos inúmeros livros que eu gostaria de ler antes da visita à última estação. Um ano. No máximo dois, antes da bala entrar por uma têmpora e sair pela outra ou se alojar bem no meio do cérebro, abreviando um não merecido período de sofrimento, constrangimento e humilhação – ainda que eu não tivesse consciência alguma, lá pelo fim.

Nunca fui o tipo de cara que não falta a um churrasco com amigos, adora sair pra beber, festinhas, farrinhas, nada dessas coisas que se trata no diminutivo, mas as quais se costuma pensar como superlativas. Sempre gostei do meu canto, da minha concha, saindo pouco, programas usualmente leves como uma brisa, de uma tranquilidade de mosteiro. Assim, eu já sabia como iria gastar esses seiscentos e poucos dias. Restava-me saber então: O que ler?

Fiz um cálculo rápido: se em um ano eu geralmente conseguia ler uns 40 livros em média, apesar das inúmeras horas de trabalho, dos afazeres-extra diários, agora que eu iria me concentrar em viver apenas, conseguiria ler pelo menos uns sessenta, fácil.

O caminho a seguir é que era meio difícil. Quando você não sabe quando vai morrer, mas também não há nenhuma perspectiva pra isso, considera-se que há tempo, de modo que a vida de leitor vai se pautando pelas vontades, pelo desejo – e se Freud dizia que a coisa que mais ardentemente fazemos na vida é desejar, que o que mais queremos é ter prazer; pelo menos dentro do tangível, acabamos por respeitar essa "máxima Freudiana", por assim dizer.

Como sabemos, não era esse o meu caso. Aquela musiquinha da contagem regressiva já estava na minha cabeça há dias e só um tolo não saberia que quando ela terminasse de tocar seria também o meu fim. *Tempus fugit!*, avisa-nos o sábio poeta romano Virgílio, lembrando a todos (sim, pra alguns se faz necessário dar esse toque) que o tempo voa. E essa, que é a verdade de tudo e de todos, parecia ser a minha mais do que a de qualquer outro ser ou coisa que visse o nascer do sol todos os dias. Muito em breve, o chão que eu pisava não mais veria os meus rastros.

Porém, enquanto isso, nada de cinza e sombras. O negócio era festejar, era me sentir no meio de um frevo em Olinda! Era hora de fazer as escolhas. Primeiro, saí perguntando a amigos queridos o que eles leriam se tivessem com os dias contados. Alguns olharam pra mim com a sobrancelha arqueada, e literalmente diziam, Que tipo de pergunta é essa? Ora, eu quero saber precisamente o que perguntei, é difícil assim responder? Eu mesmo estava vendo que era, claro que era. (Quase) ninguém pensa nisso. E quando pensam, logo lembram que têm outras coisas "mais importantes" nas quais pensar, como o que deixariam no testamento, pra quem doariam seus cães, gatos ou calopsitas, se as contas estavam todas em dia, se o plano de saúde cobria os gastos. Esse pessoal que pensa saber todas as lições de como se deve viver. Outros me diziam que não era pra eu ficar pensando nisso, que pensar no fim "dava azar", "atraía energias negativas" e que "aí é que eu iria mais cedo pro buraco". Animadores, esses meus amigos. Mas eu não perdia a esportiva: Nem pra buraco eu vou, vou virar carvão, pó, cinzas, precisa nem pagar jazigo, e vocês jogam onde quiserem!". Outros, ainda, com os olhos cheios d'água, se recusavam a responder. E tinham aqueles que tentavam dar dicas de livros, como se eu tivesse perguntado que livros de *autoajuda* eu queria ler enquanto esperava O Grande Dia, também conhecido como O Dia do Desembarque. Esqueçam, meu povo, não é nada disso!

Finalmente, alguns levaram minha pergunta a sério: a obra completa de Fulano ou de Sicrano (mas e os tantos outros bons autores?), os clássicos (a maioria era enorme, teria eu tempo?), os infantojuvenis que eu ainda não houvesse lido (pra relembrar minha infância, talvez, e esquecer que o relógio, que me fizera chegar até aqui, era também meu inimigo?), a bíblia (fábula por fábula, prefiro os irmãos Grimm, Esopo, La Fontaine, ou um bom papo com os amigos).

No fim das contas, tudo se volta pro que Freud disse antes, ao dizer que o ser humano é, em sua plenitude, o mais profundo desejo. E como exterminá-lo? Com algo que, temporariamente, possa saciá-lo. Beber na fonte do prazer é abrir a boca diante de uma fonte inesgotável. Quem diabos cansa do prazer? O prazer pede sempre mais prazer. Ter os anseios saciados jamais decretará a corrente e o cadeado na porta do Túnel dos Desejos. *Au contraire.* O que nos mantém vivos não é outra coisa senão a capacidade de desejarmos sempre, o que não significa que esses desejos sejam cada vez mais megalomaníacos. Posso continuar desejando as mesmas coisas (de maneira diferente, ou não). Mas o desejo não se finda em si mesmo. Que graça a vida teria se parássemos de desejar? A depressão não seria, dentre outras coisas, a morte do desejo? Querer, ter vontades, é tanto o que nos leva à selvageria como ao gozo. O oposto disso seria a morte, que cairia como uma bênção.

Sabendo do tempo que se esgotava, portanto, e querendo manter-me vivo, eu obedeceria aos meus instintos, e só. Pegaria um livro bom de um autor que eu admiro (nenhum problema em deleitar-me com o que me é familiar), ou um que eu quisesse descobrir (nunca é tarde, certo?), ou ainda um dos tempos em que viver ou morrer não era uma questão, e reencontrá-lo. Eu, afinal, não estava com pressa de encontrar todos os autores-defuntos que amo e amei, noutra vida, se é que ela existe.

Meu último desejo seria, hoje e sempre, pedir por mais livros.

# ENDEUSAMENTO LITERÁRIO

Existe na cultura ocidental – e não me arrisco a dizer na cultura mundial porque não sei como isso funciona no Oriente – uma tendência a tratarmos determinados artistas como se fossem monarcas – o "rei" Roberto Carlos, a "rainha" Xuxa, o "rei" Elvis Presley e por aí vai –, o que já faz os mais atentos ficarem de sobrancelha erguida com essa necessidade cultural inventada sabe-se lá por quem e com quais fins. Pelo menos é de se admirar que em países onde o sistema democrático está instalado há tantos anos, exista saudade de uma monarquia. Vá entender.

Não é muito diferente com vários artistas da nossa música ou televisão. Nos tempos da Jovem Guarda, por exemplo, existia todo um esquema tático pra que Roberto Carlos pudesse sair de determinado lugar e ir pra outro sem ser molestado pelas fãs, que, aos milhares, faziam loucuras atrás do seu "rei", no que certamente são os maiores exemplos de histeria coletiva que temos em nossa história artística.

Da mesma maneira, é assim que nos comportamos com inúmeros artistas até hoje. Os fãs de alguns cantores, atores ou escritores tratarem seus ídolos com uma deferência fora do comum a mim parece algo surreal. Algo bastante longe daquelas loucuras do passado, na grande maioria dos casos; mas, ainda assim, cenas que beiram o ridículo, pra não dizer o insano, são veiculadas em toda parte. Basta olhar imagens de *shows* e, ultimamente, de feiras literárias espalhadas por todo o Brasil pra se ter uma ideia.

Venho de um meio em que determinados autores são irrepreensíveis. Exemplo disso? Caio Fernando Abreu.

Com o advento das redes sociais, frases atribuídas ao escritor gaúcho ganharam ares "cult", ainda que grande parte delas ele jamais tenha sequer pensado, que dirá escrito ou dito.

O mesmo se dá com Clarice Lispector, que aliás é outra intocável. Talvez com Clarice, por ser mais conhecida, ainda exista um time dos que torcem o nariz e que tem a audácia de se mostrar com mais veemência – e que são prontamente relegados a algum nível abaixo do submundo onde habita Hades, e por lá ficam, ignorados. E a turma que a venera se coloca no topo, sentindo a alegria de uma pretensa superioridade.

Passado o tempo e muitos livros lidos depois, observo também que existem determinadas obras que atingem um patamar de adoração pra além de qualquer explicação plausível.

O que é mesmo que existe na obra do Caio Fernando Abreu de tão magnânimo? Certamente, ele escrevia bem. Mas isso muitos fazem. Talvez ter levado uma vida permeada de figuras midiáticas, trabalhar na imprensa e ter contatos tenha ajudado um bocado, porque a obra em si não passa de uma meia dúzia de contos realmente bons, um romance razoável e é isso.

E o que dizer do "manual de maus costumes e um catálogo de crueldades do pior da natureza humana", segundo afirmava José Saramago a respeito da Bíblia? Claro que aí entraríamos numa outra seara – a da fé e do dogma – contra a qual não parecem existir argumentos, de modo que em se tratando deste livro, ou se respeita ou se rejeita. E conquanto seja um livro repleto de histórias interessantes, bom, não se pode dizer de fato que encontramos por lá um manual de como bem viver, a despeito do que afirmam os que creem.

O próprio Saramago me parece ter um romance acima de qualquer crítica: *O evangelho segundo Jesus Cristo*. Que a narrativa é de um encantamento, não tenho dúvidas. Que a obra questiona, reavalia e estava um passo adiante quando de sua publicação, no começo dos anos 90, também é inegável. Mas isso basta pros amantes do Nobel português rotularem-na como uma obra-prima? Sim, porque tal pecha vem dos leitores. Se formos levar em conta os críticos – é, sempre eles... – a coisa anda bem dividida. O que importa é que se alguém disser que não gosta de Saramago, muito possivelmente será tachado de, no mínimo, um ser sem cultura.

*O amor nos tempos da cólera* me tocou infinitamente mais do que *Cem anos de solidão*, do qual eu nem gostei muito. Mas eu posso sair dizendo isso por aí, aos quatro cantos? Posso, se eu quiser ser literariamente estuprado.

E eu não posso coadunar com isso. E digo isso *hoje*, porque passei um longo tempo achando essas mesmas coisas dos leitores que hoje defendo – os que desgostam de certos autores e obras intocáveis.

Acho José de Alencar um escritor medíocre, mas tem gente que adora o que ele escreveu – que inclusive dedica *anos* de sua vida a estudá-lo. Eu vou dizer que essa pessoa está perdendo tempo? Jamais. O que eu digo hoje é: parabéns por enxergar na obra dele coisas que eu, até o momento, não consigo ver.

Como somos água, nos moldamos à medida em que passamos pelos mais diferentes caminhos, bancos de areia, pedras do rio. Conquanto não possamos desrespeitar apenas porque temos a liberdade de fazê-lo, ninguém está acima de uma crítica. Ninguém.

E é por isso que eu vocifero contra esse pessoal que se coloca num pedestal de certezas inquebrantáveis. É essa mesma turma que se curva até o chão quando se veem diante dos seus reis e rainhas, esquecendo o que acontece com quem se abaixa demais.

Se for dia de sol, aproveitem. Pelo menos lá vai pegar uma corzinha.

# LITERATURA É FINGIMENTO OU O CARNAVAL DOS CURUMINS

Há um fenômeno na literatura brasileira que tem se agravado mais a cada ano: os jovens autores da nossa literatura que se dão ares de celebridade. Seja porque se tornam midiáticos com o advento das redes sociais, seja porque as editoras fazem matérias pagas parecerem elogios verdadeiros, o certo é que há nas nossas letras, nos últimos anos, uma leva de "personalidades literárias" que aparecem em fotos enormes no jornal, têm cinco mil amigos no Facebook e vão às muitas feiras literárias pelo país, almejando ou vivendo um estrelato que só existe na cabeça deles.

Ora, sabemos que, à exceção do Paulo Coelho e mais uns três gatos pingados, nenhum autor consegue viver exclusivamente de literatura, a menos que viva uma vida inspirada nos hábitos de São Francisco e ande muito de bicicleta, porque do contrário, haja palestra e curso pra complementar a renda. E tudo isso é muito, muito digno; eu diria até *necessário* a um país que começa ainda a formar os seus leitores, depois dos adventos de grandes *booms* literários que fizeram as recentes gerações despertar pra leitura e a consequente formação de leitores – ou compradores de livros, o que para as editoras, dá na mesma.

Mas não estou falando do escritor descrito acima. Estou falando de um tipo muito mais peculiar. Acompanhe o caso: dia desses, abri uma revista de cultura e me deparo com uma entrevista na qual o articulista já começa dando a entender que o entrevistado é um chato (ele até faz uso do adjetivo), mas de forma disfarçada, descrição feita de propósito, até – digamos, pra já ajudar a criar a atmosfera do que viria a seguir. Mas é isso mesmo.

Pelas afirmações do entrevistado, o leitor da matéria tem a nítida impressão de que estamos dando a conhecer um Shakespeare das letras brasileiras, inclusive com todos os medos, receios, inseguranças, faniquitos e pseudo-humildades inerentes a todos os que, no fundo, querem dar a entender que estão escrevendo uma grande obra. Pose, muita pose. Mas estão ali, firmes! São verdadeiros arautos da Nova Grande Literatura Brasileira (quiçá universal. Aliás, quiçá não, *no seu devido tempo*, universal sim, *com certeza!* Pelo menos segundo estes incautos literatos).

Ler uma frase como: "Dizer que ler melhora as pessoas é a pior forma de elitismo. Literatura não muda a vida de ninguém" é de lascar. Elitismo é soltar frases de efeito com a boca cheia de verdades absolutas, verdades fundamentais. E o autor da frase justifica tão gloriosa afirmativa com o exemplo de que seus irmãos tiveram acesso aos mesmos livros que ele, mas não gostam de ler, e nem por isso são menos felizes. Equívoco, meu caro, equívoco! Primeiro porque não se pode, com a mente sã, falar por todo mundo sem antes perguntar a opinião de cada um dos envolvidos. Alguém além de mim compreende que *não há como ele saber* a respeito do nível de felicidade ou infelicidade de seus irmãos porque a vida deles só cabe a eles?

E tem mais: literatura não muda mesmo a vida de ninguém. Assim como não muda o fato de você ter ganho o prêmio acumulado da mega-sena, ter a pessoa mais interessante do mundo apaixonada por você, ter um emprego bacana ou pessoas dispostas a serem amigos verdadeiros. *Nada disso muda a vida de ninguém*, se o personagem envolvido em cada um dos exemplos acima não se permitir nem fizer bom uso da oportunidade diante de si. Portanto, obviamente que a literatura não muda a vida de ninguém. Não há coisa alguma no mundo que o faça por si só. É preciso deixar-se tocar pra que a mágica aconteça. Sem o elemento humano do *permitir-*

*se*, tudo o que se tirar da cartola não passa de um mero truque de circo. Permita-se, e a magia acontecerá, e só aquele que se permite compreende o quão arrebatadora é essa força.

Mas não me surpreende. Esta leva de escritores é resultado de uma turma mimada que cresceu no mundo da internet vendo que, lá fora, determinados autores possuem o status de celebridades. Em terras tupiniquins, ninguém chega sequer perto disso, principalmente em termos de finanças e contratos. Mas a pose, repito, ah!, a pose, essa existe. E tem que fazer bonito pra sair na foto parecendo mesmo que é o que se pensa ser. Ou seja: uma trupe de deslumbrados – e iludidos. Essa coisa meio tribo indígena ainda por ser descoberta pela sociedade, essa turma de gente intocável que sabe muito bem usar a máscara da camaradagem.

E por falar em máscaras: "Uma reclamação muito comum que fazem à literatura contemporânea brasileira é que ela só escreve sobre o seu mundinho, uma Higienópolis branca e classe média. (...) Muita gente se inspira na própria vida pra fazer ficção. No meu caso, o que inspira não é a vida, e sim outras obras. Meu dia a dia não tem nada interessante para ser literatura".

Volto ao que disse antes: eis aí o exemplo acurado da turma que cresceu diante do computador e acha que se basta, que interagir pra além do portão de casa cansa a beleza e fazem logo aquela cara com um biquinho de nojo. Autores que olham de esguelha, com aquele olhar de "não encosta aqui não, querido!". Sabe aqueles vendedores de determinadas lojas que se escondem quando a gente vai chegando perto pra pedir ajuda? Aqueles que nos atendem com cara de quem estão fazendo um favor descomunal? Pois são estes. Afinal, quem não escreve sobre a vida escreve sobre o quê? E as "outras obras" por acaso baseiam-se em quê? Onde é que está a piada no que esse arrogante inominável disse?

Não tem piada. Ele realmente disse o que disse, a sério.

Você poderá vociferar, pensando que tem razão: "Mas o Mário, o Oswald de Andrade, Tarsila, não participaram das "feiras" de suas épocas?" Participaram. Mas não existe nos anais da história desse país um só registro de que eram desses ignóbeis. Ao contrário, ao contrário! Eram de uma humildade de fazer Gandhi e Madre Teresa corar, de fazerem Nelson Mandela e Chico Mendes parecerem escravocratas latifundiários. E esse cidadão, quem é? Pois eu vos digo: rigorosamente ninguém. Rigorosamente uma garrafa d'água vazia encostada na parede de cabeça pra baixo pra não virar criadouro de mosquito da dengue. A distância que o separa de mim e de você é que ele é como um gato de telhado – que passa a noite aos gemidos, grunhidos e miados, às vezes mais distantes, às vezes não, e essa é a obra dele (e dessa leva de párias na qual ele está representado): fazer barulho, querer causar, querer incomodar. Acontece que enquanto eu ou você reclamamos com aquilo que é pertinente, mostrando os dentes, ele reclama fazendo pose pras fotos. É dessa gente que no dia que morre, morre também a obra sem deixar vestígio, e tal como o gato lá em cima no telhado, quando some só deixa alívio.

Mas voltando à ideia do coletivo ao qual ele pertence: trata-se de um pessoal que está no Facebook, no Twitter, no Instagram, se duvidar ainda gostariam de poder ter seus perfis no Orkut e guardam arquivos da época do MSN, com a esperança de que ainda farão algo com aquilo (ou porque acham que tudo que um dia escreveram, em algum momento poderá valer ouro). São autores que estão presentes nestes muitos blogs de editoras que viraram uma febre – parece que depois que uma grande editora começou, se as outras não seguissem, era sinal mesmo de que eram nanicas diante da "poderosa" – escrevendo textos repletos de loas a si próprios, onde não há uma só linha em que um ego maior que a solidão do território lunar deixe de transparecer. Ora, mas que dizer do ego? Ego é um negócio mais antigo do que Tutancâmon, mais antigo do que as pirâmides do Egito – com o *senão* de que ego, em momento algum, chega a ter qualquer tipo de beleza. É dessa leva de deuses da atual literatura brasileira que devemos nos resguardar e observar com cautela. Midas tem muito a nos ensinar. Não consigo enxergar com bons olhos essa gente que almeja a ubiquidade. Bem sabemos que quem quer está em toda parte, não está em lugar nenhum.

Fora que essas pessoas são verdadeiras nulidades enquanto *gente*. Existem pra essas redes como personagens de si mesmos, são pessoas de papelão, capazes de curtir aquela foto enorme com uma flor igualmente gigantesca onde está escrito em cima ou abaixo em letras garrafais e cores berrantes *Bom dia* seguido de trezentos e vinte e sete pontos de exclamação, se assim lhes aprouver (ou se vier de algum "amiguinho" de rede social), mas são de uma verdadeira vacuidade para assuntos sérios. Reflita comigo: quantos desses vocês já viram em qualquer lugar da mídia acrescentando seus dois centavos que seja sobre as nossas diferenças sociais históricas, sobre a Torre de Babel que são os três poderes, sobre as mazelas do nosso país? Se você viu algum, pode ter certeza que ele não é o mesmo que frequenta festas literárias a rodo, nem se acha o rei ou rainha da cocada preta. E sabe por quê? Porque esses autores metidos a VIPs – ou reis e rainhas do camarote – não querem deixar de agradar a *todos*. E quem quer angariar um séquito a este preço, francamente, está fadado a levar uma facada nas costas, ou no baço, ou onde quer que seja. São pessoas que não se arriscam para nada. Não porque elas não tenham pensamentos a esse respeito. Mas é que são muito indiferentes a isso tudo; quando não, aliado a isso, não querem perder leitores desse ou daquele segmento ideológico.

Outra frase pescada da dita entrevista, a última, e retumbante verdade colossal: "Em literatura dá pra fingir melhor" [que é inteligente]. Podemos concordar. Basta a gente olhar certos vencedores de determinados prêmios, nos quais os laureados – e nem precisa investigar muito – é afeto desse ou daquele. Da mesma forma, outros deixam de ganhar o prêmio porque são desafetos desse e daquele jurado. Literatura é ou não é fingimento?

Finge-se melhor em literatura quando não se sabe fazer outra coisa a não ser mentir. São autores que, como num carnaval, usam as máscaras que querem, escolhem para si os personagens que querem, sem lembrar que a festa do rei Momo acaba na quarta-feira de cinzas.

Intocados em suas ocas, esses verdadeiros curumins não conseguem compreender a fragilidade de suas próprias vestes, e muito menos de suas próprias máscaras. Querem montar um cenário *chiaroscuro*, onde ora parece que contribuem com algo de valor, ora são apenas o que são: pastiches de si mesmos.

O que me vem como muito certo é que a literatura não precisa de gente que chega aos holofotes para vilipendiá-la. Muito menos travestido de eloquente inteligência. A literatura precisa de críticos de verdade, de gente que tenha opinião legítima – e não opiniões baseadas na polêmica, nas frases de efeito. Aliás, que recurso cansado, este, hein? Utilize-se de outro expediente, caro escritor grandiloquente, porque, francamente, a literatura requer gente que a ame de verdade – inclusive para descer o sarrafo! – e não de foliões de três dias.

Terminada a leitura, abre-se o clarão da certeza, como Moisés foi capaz de abrir o mar vermelho: se todos os chatos do mundo deveriam fazer literatura, como sugere a revista na qual li o mencionado agrupamento de impropérios, percebe-se claramente que os chatos brasileiros têm se esforçado bastante.

# A ZONA DE CONFORTO LITERÁRIA É ACONCHEGO

Viajamos para lugares onde já estivemos porque, tendo gostado da experiência, sentimos uma vontade quase indizível de revivê-la. Pelo mesmo motivo vamos à mesma praia ou serra, vamos ao mesmo restaurante, voltamos à cidade de origem, nem que seja só pra uma visita rápida.

Há ainda outras possibilidades: é também pela necessidade de acalanto que queremos ter uma casa ou apartamento pra chamar de lar. É por esse mesmo motivo que construímos afetos, amizades, relacionamentos que duram décadas e décadas. Algumas duram menos, como as relações que construímos com animais de estimação, por exemplo (não porque queiramos, mas por uma contingência imposta pela limitação da expectativa de vida do bicho, via de regra).

Um dos muitos nomes que se pode dar a isso é *zona de conforto*. Embora psicólogos, psicanalistas e todos os respeitáveis profissionais que se dignificam a perscrutar a mente humana nos mostrem a necessidade de sair da zona de conforto para a zona de *confronto*, a verdade é que, sem esta zona onde estamos sob proteção, a vida se torna impossível. Ou se torna impossível porque culmina numa abominação: a vida sem o sentimento de algum tipo de proteção não é sinônimo de morte, claro, mas é uma vida insalubre, um eterno manicômio mental, onde a paz não chega e não existe espaço para um longo respirar. Isto não quer dizer, naturalmente, que tenhamos de permanecer 100% das nossas existências nesta tal zona de conforto.

Venho acumulando milhares de livros ao longo de três décadas de vida. Aliás, nem gosto de comentar o quanto investi na compra deles. Daria pra ter um apartamento pra chamar de meu, provavelmente.

O que importa é que, este ano, resolvi que iria ler alguns dos Grandes Autores cujos livros venho empilhando, mas cujos títulos nunca li. De alguns deles, chego a ter 10 títulos, sem um único livro lido. Quando muito, um ou dois lidos pela metade. Joyce Carol Oates, Herta Müller, Alan Hollinghurst, John Banville, Howard Jacobson, William Maxwell, Ali Smith, dentre tantos outros.

Decidi-me então a fazer uma lista de alguns desses autores e colocar num post-it atrás da porta do quarto. A ideia era fazer a lista do possível: não iria sequer colocar todos aqueles cujos livros nunca li, mas os nomes daqueles que tenho mais vontade de ler neste momento da minha vida, e que, em teoria, poderia ler até 31 de dezembro.

Ao deter-me sobre a tarefa, alguns nomes vieram rápido, porque já eram uns que eu vinha paquerando há décadas. Acontece que, junto a esses autores, estão também os meus amores de uma vida toda. Assim, logo vi minha lista perfazer-se em amores cultivados há muitos anos. Junto ao Alan Hollinghurst, por exemplo, está Paul Auster, que já é amor de outros carnavais. Assim como Philip Roth, Rosa Montero, José Saramago, Inês Pedrosa, Machado de Assis.

Entretanto, foi quando me passou pelo toque dos dedos um amor relativamente recente, que a epifania se fez. Por estes dias, andei baixando um filme chamado *Intimidade*, baseado em um livro homônimo de um autor britânico chamado Hanif Kureishi.

Comecei a lê-lo há menos de três anos e descobri ali um autor com o mesmo potencial de um Paul Auster, por exemplo, que é outro por quem nutro profunda admiração. Acho, inclusive, a escrita deles com a mesma medida de força.

E como já dizia Robert Frost, "um caminho outro caminho gera". Não pude evitar senão o sentimento da mais completa revisitação extracorpórea. Ao buscar livros para compor minha lista de prioridades literárias, acabei por tocar novamente em obras que tanto me fizeram bem durante determinado momento de minha vida, que foi quase como viver aquele instante novamente. Certamente ali, sozinho entre prateleiras de livros, eu me punha a conjurar espíritos de leituras passadas.

Não estava mais só. Eu era uma alma habitada – como somos todos nós que lemos e amamos a literatura.

Aos poucos, juntei vários nomes, entre novos e antigos. O que era pra ser um único post-it, viraram dois.

Não importa mais cumprir meta. A verdade é uma só: não estou numa maratona, nem concorrendo com ninguém. Literatura não é feita disso.

Compreendi, então, que assim como tenho vontade de buscar novos autores, escritores pra amar e levar comigo por toda a vida, é impossível viver sem aqueles cujas bases sólidas fazem parte de quem eu sou.

[É por isso que autores de bestsellers não costumam ousar, e livro após livro, estão a desenvolver sempre a mesma fórmula: seus leitores buscam esse conforto, o conforto do conhecido dentro de uma trama nova. Sair disso é colocar em risco os primeiros lugares nas listas de mais vendidos.]

Caminhar pelo conhecido é uma forma de buscar a eternidade, ainda que seja a eternidade de um momento. E não há problema nisso. Desde as mais priscas eras, quando o homem se projetava diante da fogueira, o que ele queria era sentir-se protegido, afastar os animais perigosos, sentir-se aquecido, provavelmente admirar melhor a beleza ao redor e a luz das estrelas. As ideias e ideais de conforto foram sendo modificadas à medida que as sociedades evoluíram, mas o sentimento é o mesmo.

E feliz daquele que sentir o hálito benfazejo do poder de caminhar pelas palavras de um autor admirado; quiçá, amado.

A zona de confronto pode ser devassada aliada ao conforto que o conhecido traz. Apologia à preguiça? De jeito nenhum.

Apologia ao amor. Literário.

# É MESMO BOM SER A FORMIGA?

Se você não viveu sua mais tenra infância dentro de uma FEBEM, certamente já deve ter lido ou ouvido falar sobre a fábula da Cigarra e da Formiga, aquela história criada pelo grego Esopo pra ensinar as criancinhas que se você optar por ser como uma Cigarra e passar o dia todo cantando em cima do pé de manga e não estudar, nunca vai conseguir emprego de coisa alguma e vai viver escrevendo crônicas de graça na internet; enquanto todos os seus coleguinhas que estudam, se esforçam e se dedicam, que fazem tudo num ritmo de linha de montagem sem pausa nem pra ir ao banheiro, brincando de serem Formigas, vão conseguir os melhores empregos, vão ter consciência financeira e poupar pros dias de dificuldade, e você, que preferiu ser Cigarra, vai morrer da pior morte possível quando o inverno da vida chegar. Ou algo assim.

Ocorre que dia desses, eu estava pensando que sou mesmo um cara de muita sorte. Nasci numa época em que grandes autores – hoje já mais próximos de ter uma conversa com a Caetana, como diria Ariano Suassuna – ou concluíram ou já estão perto de concluir sua obra, iniciada há quarenta, às vezes cinquenta anos. Quero dizer que tenho a felicidade de poder ler toda a obra dessas pessoas, completa, sem faltar um só livro, coisa que os leitores desses escritores do tempo em que eles começaram a publicar não terão, pelo simples fato de que, provavelmente, este pessoal não está mais entre nós. Pensemos em, por exemplo, José Saramago. Philip Roth, ou Alice Munro. Joyce Carol Oates, John Updike, Don DeLillo, Paul Auster. Todos, autores reconhecidamente essenciais, pelos mais idiossincráticos motivos. E eu posso simplesmente escolher um livro deles, de uma obra extensa, ciente de que ainda terei vários outros com os quais me deleitar, me recostar numa poltrona, rede ou cama, e adentrar na sua verdade. Nesse ínterim, claro, como todo leitor voraz, descubro outros autores e obras. E assim, vou "distribuindo" os livros desses autores ao longo da vida, "economizando" a leitura dos livros desses autores maravilhosos, mas com uma quantidade de livros determinada. Afinal, não se pode esperar mais uma vasta produção de quem já está beirando os 70, 80, ou já fez aquela curva do "a qualquer momento".

Uma bela de uma Formiga, portanto.

Era um plano que tinha tudo pra dar certo, não fossem alguns fatores que não deixavam de me perturbar. Os dois principais são:

Fator 1: se eu ler a obra toda, poderei ganhar ainda mais na releitura, daqui a vários anos.

Eis aí um fator que não se pode ignorar. Livro bom é um negócio pro qual se deve fazer reverência. Sempre. Da mesma maneira que jogo num limbo (quase) eterno os livros que não me fisgam, respeito inteiramente um livro que é maior que eu. Se eu reconheço hoje, na casa dos 30, que há em determinada obra algo de grandioso, imagina o quanto poderei ganhar relendo um livro de Saramago, Roth ou Pirandello 10, 20 anos depois, quando eu supostamente terei mais repertório e poderei enxergar coisas pras quais eu antes era cego?

Fator 2: eu posso morrer cedo e deixar muitas obras desses autores por ler.

Eu nunca tinha pensado nisso, até que alguém me chamou a atenção pro óbvio: e se, por qualquer motivo, minha vida fosse abreviada subitamente? Do que adiantaria ter poupado todos aqueles livros pra não me faltar o que ler desses autores "ao longo de toda a vida"? Nada, porque agora faltaria vida pra ler toda a obra que ficou pra trás, no mundo dos vivos. Considerei este fator algo extremamente relevante pra decisão que eu mal sabia que estava prestes a tomar. Nunca me ocorreu chegar à idade de um Matusalém, ou me tornar um Highlander, mas também nunca me ocorreu ser a menina dos fósforos. Sempre pensei nesse jogo de vida e morte pra mim, pessoalmente, como uma coisa mais ou menos justa. Quem sabe chegar até a expectativa de vida do brasileiro? E como esta parece vir aumentando mais a cada ano, era bem capaz de eu viver um bocado, me fosse concedido este desejo. Por outro lado, era bem possível que alguma fatalidade acontecesse. Pelo sim, pelo não, era melhor providenciar a leitura pra logo. Isso não significa que eu vá fazer uma leitura apressada. Certo que não. O que eu devo fazer, na verdade, é *não* adiar a leitura por conta dessa história de "nunca me faltar o que ler" de um determinado autor do qual eu goste.

E isso de morrer cedo sempre martelou mesmo na minha cabeça; era eu morrer e a obra do escritor ficar. Imagino a minha ira ao tentar negociar com a Mulher da Foice:

"Que merda – exclamaria eu – ainda faltam tantos livros pra eu terminar a obra de fulano e sicrano!"

Ao que eu provavelmente ouviria:

"Azar o seu. Tempo esgotado. Quem mandou não ler antes? Não foi por falta de aviso. Seus amigos lhe avisaram, *seu próprio grilo falante* lhe avisou, o que estava faltando?"

"Não posso voltar rapidinho, só pra concluir o serviço?"

"Serviço rápido é a vida, meu caro. Um verdadeiro *fast-food*. Onde já se viu ler tantas obras completas rapidinho? Você já viu o tamanho dos livros do Tolstoi?"

"Mas eu prometo que me entrego depois..."

"Já disse que não. Além do mais, você pode acabar pedindo algum tipo de indulto... E vai que o tribunal superior resolve lhe dar algum benefício? Iam acabar me aposentando, dizendo que meus serviços não se fazem mais necessários..."

"Que absurdo... mas a gente sabe que as altas instâncias muitas vezes acabam julgando e condenando por vingança, ou pra defender seus próprios e escusos interesses. Estou mentindo, dona Morte? Mas e agora, como faço pra ler tudo o que ficou pra trás?"

Ela talvez coçasse a cabeça e terminaria dizendo:

"Bem que tentaram lhe avisar que pra onde você vai não tem biblioteca..."

A conclusão a que chego é a seguinte: nada de ser Formiga. O negócio é mesmo a esbórnia, a orgia, pegar os volumes da obra dos escritores que julgamos grandes e *cair em cima deles*, sem pena. Enquanto leitor, não há nem motivo para cogitar *não* ser Cigarra. Se for o que te der na telha, meu caro, leia um atrás do outro e releia daqui a uma década. Nada de poupar pro futuro, afinal de contas, ele pode acabar por chegar somente pros outros. E, independente de você, se a obra do autor em questão for mesmo grandiosa, ela fica.

E você, meu caro, que foi apenas o homem comum que nasceu, cresceu, casou, teve filhos e envelheceu, passa sem deixar vestígios.

## ESCRITORES DEFUNTOS E SEUS RESTOS

Menos de uma semana após a morte de Gabriel García Márquez, a notícia: o escritor deixou um romance inédito. Leitores entraram em polvorosa, bem como o mercado editorial. Mas não tão rápido: no desdobramento, os detalhes. Jornalistas dizendo que já sabiam. Amigos dizendo que não foi apenas este romance, mas outros vários textos. A família "decidindo" se vai permitir a publicação ou não. No meio de tudo isso, o detalhe mais importante: todos os textos deixados pelo autor estão inacabados. O quão inacabados, o quão perto de um fim, de uma conclusão, não se sabe.

Ainda.

A história da literatura mundial está repleta de casos de escritores que, após baterem as botas, deixaram vários textos sem final pelo caminho. Escritores como Albert Camus, John Steinbeck, Jack London, Edgar Allan Poe e tantos outros, já tiveram livros não terminados retirados do limbo e levados ao alcance do público. Quando isso ocorre, geralmente abre-se uma discussão em torno da validade da publicação de tais obras – ou mesmo se poderiam ser consideradas como tal, uma vez que ficaram inconclusas.

Não custa lembrar que o caso mais notório envolvendo um nome de peso, antes deste, foi quando da morte de José Saramago. Poucas semanas após seu falecimento, surgiu na mídia a história de que ele teria deixado "algumas páginas de um novo romance" e "muitas cartas e outros textos", que em seu devido tempo provavelmente se tornarão livros. Sobre isso, a própria viúva, Pilar del Rio, saiu-se com um "vamos ver", quando questionada sobre a possibilidade dessas cartas e outros textos serem publicados. Sem contar com *Claraboia*, romance da juventude que havia sido publicado uma única vez em vida, quando o autor ainda era um jovem adulto. Posteriormente, o autor revisou a obra e disse que só seria publicado mediante a vontade de sua esposa, que pra felicidade dos leitores, autorizou e acabou saindo um ano depois.

Em seguida, foi divulgado que Saramago tinha por hábito não começar a escrever um novo romance até decidir-se pelo título. Daí a demora em começar a escrever o romance posterior a *Caim*. De qualquer forma, soube-se que o livro se chamaria *Alabardas, alabardas, espingardas, espingardas*.

Não resta dúvida de que este romance Saramago iria publicar ao concluir. Mas será que ele gostaria de ver, impressas em livro, as trinta e poucas páginas que deixou deste que ia em andamento quando a Impiedosa o pegou? Não temos como exercer futurologia, mas eu me arrisco a dizer que sim, até pela natureza ligeiramente vaidosa do autor – que gostava de parecer humilde socialmente, mas a língua o traía de vez em quando. Vamos ver se as cartas e outros textos sairão. E qual o valor disso, uma vez que, novamente, entramos na questão: se era pra ser editado, por que ele não o fez em vida?

O caso mais notório dentre todos talvez seja o de Franz Kafka. Depois de uma curta vida de saúde muito frágil, Kafka deixou seu melhor amigo, Max Brod, com todos os seus manuscritos, publicados e inéditos, e o seguinte pedido, quase uma ordem: "Queridíssimo Max. Meu último pedido: Tudo que eu deixo para trás... na forma de diários, manuscritos, cartas (minhas e dos outros para mim), rascunhos e o que mais houver, deve ser queimado sem ser lido". Aí fica aquela pergunta cretina, mas válida: se era pra ser queimado de uma vez por todas, por que ele mesmo não o fez? Ao que se sabe, Kafka morreu de inanição. A tuberculose o pegou de tal forma, que em dado momento, ele não conseguia mais se alimentar, e como não existia ainda a alimentação por sonda, ele acabou por morrer, de fome, em consequência da doença. Em outras palavras: ele teve tempo de fazê-lo, ele pôde fazê-lo. Possivelmente, em algum nível do seu inconsciente, ele tinha dúvidas sobre seu real desejo.

Aliás, neste momento, esta pergunta também vale para o que Gabriel García Márquez deixou. Se não queria ver publicado, porque ele mesmo não destruiu? Até eu, que não sou ninguém, jogo textos fora. Por que ele não o faria?

A resposta, pra mim, não pode ser outra: porque ele sabia do seu valor, lógico. Sabe-se que Gabo parou de escrever por volta do final de 2006, quando reuniu uns amigos para um jantar e anunciou, durante a refeição, que a partir dali não escreveria mais uma única linha. Portanto, nesta época, estes textos inacabados já existiam e ele ainda tinha o domínio sobre si mesmo, antes de entrar nessa espiral descendente por conta da senilidade. Este romance, *Em agosto nos vemos*, começou a ser escrito em 1999. Gabo chegou a ler o primeiro capítulo em público, inclusive.

Por que não jogou fora, se não conseguia terminá-lo nem tinha a intenção de fazê-lo? Não preciso me repetir, creio. Sendo assim, publique-se! Ou não?

Logo que a notícia de manuscritos inéditos de José Saramago veio a público, começaram a perguntar à viúva, Pilar del Rio, quando seriam lançados. Ela dava respostas evasivas, ou não respondia, e quatro anos depois, ainda pairava certo mistério.

Se esse tipo de atitude não é para valorizar o produto – e a escolha da palavra aqui é tristemente intencional – então, é porque eu não nasci ontem e esse mundo me tornou maledicente demais. Mas eu duvido que não seja uma forma de valorizar, de querer fazer um leilão com os despojos do morto.

Os livros de José Saramago acabam de mudar de editora em Portugal. A Fundação Saramago disse que "seis casas editoriais" procuraram os herdeiros pra negociar a obra do autor, depois que foi anunciado que Saramago sairia do Editorial Caminho, onde esteve por trinta anos. Também afirmaram que a própria Fundação cogitou publicá-lo. Mas no final, decidiram-se pela editora Porto. Ótimo. Mas que ninguém ache que não houve cifras, e altas. Ótimo de novo, o autor merece! Então, qual o problema?

Nenhum. A narrativa acima apenas serve pra ilustrar a questão da valorização do autor num mercado cada vez mais competitivo e atento às mídias modernas. A necessidade de criar notícia e impacto parece cada dia mais premente.

E como não querer gerar curiosidade e ânsia em seus leitores? Afinal, não são estes que comemoram quando se descobre algo inédito no baú de algum escritor defunto, e não são estes que comprarão seus restos?

Ora, isso tudo é tão-somente uma jogada de marketing, e sobre isso não me restam dúvidas.

Naturalmente, isso não é novidade no mundo das letras. *Encarnação*, livro que José de Alencar escrevia quando morreu, em 1877, só foi publicado em 1893, depois de terminado por seu filho. O que se passou nesse período, e os verdadeiros motivos do filho neste ínterim, jamais saberemos ao certo.

Da mesma forma, pouco sabemos sobre os meandros por onde correm as águas no tocante ao interesse das editoras, das questões familiares, equilibrado com o interesse real do público. Mas que esse tipo de notícia é também uma oportunidade pra fazer da questão um espetáculo, sem dúvida.

Daí, outra pergunta emerge: vale a pena chafurdar o espólio dos escritores? Vale a pena trazer a lume uma obra esboçada, não revisada, não concluída?

Pelo aspecto financeiro, certamente, do contrário as famílias sequer se interessariam. Pelo aspecto da curiosidade dos leitores, também. Algumas vezes, pra que aquela obra específica seja comparada com o todo maior da obra, também faz valer a pena este ressuscitar.

O problema é esse travo que fica na boca, essa sensação de que tem alguma coisa por trás. Seria vaidade da família? Uma atitude caça-níquel? Ou algo que sim, tem enorme valor e merece ser levado para as livrarias, comercializado para ser lido, discutido, estudado?

Pelo sim, pelo não, talvez o que nos reste seja mesmo analisar caso a caso. Ou então resignar-nos com a amarga sensação de que estamos sendo feitos de idiotas.

## MINHA CULPA, MINHA MÁXIMA CULPA?

Tendo começado minha relação com os livros muito cedo, igualmente cedo compreendi que eu teria muito mais livros pra ler do que eu teria de vida. Mas não foi sempre assim. Acompanhe.

Na primeira metade dos anos 80, quando aprendi de fato a ler, eu não tinha muito a fazer, a não ser aguardar pacientemente que me dessem livros.

Mas na *outra* metade da mesma década, surgiu um negócio libertador chamado *mesada*. E foi mais ou menos assim que a coisa toda começou. Juntava o dinheiro da mesada, mais o dinheiro pra merenda (não é à toa que eu sou rechonchudo. Poupava o dinheiro da merenda e chegava em casa devorando tudo o que via pela frente. Deu no que deu, décadas depois) e, no intervalo de tempo entre o término da última aula e o tempo que meu pai levava pra ir me pegar, eu corria numa livraria que tinha na rua ao lado e comprava um livro cuja capa ou título me chamassem a atenção.

Assim como foi a realidade de muitos, minha vida de leitor se divide entre antes e depois da série *Vaga-lume* (e da mesada, claro).

Mas logo os livros da série já não me bastavam. Comecei a ler de tudo, tudo mesmo. Lia de Sidney Sheldon a Albert Camus, sendo que lendo o primeiro eu entendia tudo, o segundo eu pensava que entendia, quando muito. E ficava me achando muito inteligentão por estar lendo um autor cuja obra de alguma forma me tocava, mas que eu não alcançava. Pelo menos não como viria a alcançar anos depois. Acho.

Acontece que lá pelos quatorze anos, e já tendo, se não lido, pelo menos ouvido falar em tantas obras, tive uma epifania, na qual me veio a seguinte pergunta: Como eu vou dar conta do tanto de clássicos que existem no mundo, *mais* as obras contemporâneas formidáveis lançadas ano após ano, *numa única existência?*

(Antes que apareça algum espírita aqui pra me dizer que a gente volta em outra vida etc. etc. etc., com todo respeito: isso pra mim teria alguma serventia se, na encarnação seguinte, eu *lembrasse* quais livros já havia lido na vida anterior. Ou se pelo menos a gente trouxesse uma listinha na fralda, ao sair da maternidade. Não valeria grande coisa, mas pelo menos eu teria a opção de reler pra lembrar o que acontecia (e como aquela trama específica teria me tocado), ou se iria em frente, lendo mais coisas e aumentando minha lista de livros a *não ler* quando viesse de novo).

Evidentemente que, antes de eu poder responder a minha própria pergunta (resposta rápida: *não há como dar conta de tudo o que existe pra ser lido e chama a atenção dos seus instintos, necessidade e desejos, meu caro! Contente-se com o que der pra fazer, passar bem*), a angústia já estava instaurada: e se eu não estiver gostando de um determinado livro, posso desistir da leitura sem culpa?

Se a resposta for sim, quais os critérios que posso utilizar? O número de páginas? (de repente o livro é volumoso demais e eu gastaria muito tempo lendo-o, quando poderia estar lendo algo *menor* e *melhor*) Uma trama aparentemente sem graça? (neste caso, será que o problema não é comigo, eu que não estou entendendo o diacho do livro e... será que não valeria a pena insistir, só por mais umas vinte paginazinhas? Vai que melhora?!) Personagens pouco cativantes? (Mas vai que a trama compensa! Além do mais, que mania de querer se identificar com os personagens, hein?) O livro é curto demais e, se tão curto já me faz ter vontade de parar, é porque talvez seja um livro sem futuro mesmo... (mas e o que dizer de *O estrangeiro*? E de *A paixão segundo G. H.*?).

Não, eu não podia abandonar um livro. Todo argumento geraria um contra-argumento, e eu ficaria debatendo comigo mesmo *ad eternum* e perderia o tempo que poderia estar lendo, e a vida urge. Toda a minha culpa católica se assomava naquele instante. Perdão, Deus, eu abandonei um livro, e reconheço isso. *Mea culpa*.

Nem adianta mencionar aqui os argumentos caso a resposta fosse *não*, não se pode abandonar um livro com a leitura em andamento. Nem mesmo nos tempos em que a leitura era obrigatória, porque a turma inteira iria fazer uma prova baseada nele. Claro que sempre tinha aqueles que liam (como eu, pra não me sentir culpado), os que liam o resumo e aqueles que colavam a resposta do colega na prova porque, obviamente, não perderiam tempo lendo aquela porcaria passada pelo professor de língua portuguesa (se pra não se sentirem culpados depois por abandonarem o livro, ou se porque tinham outras preferências, como jogar futebol com os colegas ou passar a tarde pendurado ao telefone com aquele coleguinha gente boa, jamais saberei, embora desconfie da resposta). O fato é que existia um grande Deus punitivo que me levaria certeiramente à presença do capeta em pessoa, por assim dizer, caso eu ficasse parando as leituras.

Até que um dia, a gente cansa de ficar rezando o missal domingo após domingo. E foi justamente aí a segunda libertação: quando o leitor passa a frequentar a igreja do Diabo. Sim, porque é nela, e somente nela, que o leitor se livra da culpa e, se quiser, vai direto pra libertinagem. É nessa igreja onde o espírito não sente mais a limitação do corpo (quem foi mesmo que disse que a grande frustração humana é ser limitado por um corpo físico?), e trafega pelos caminhos que bem desejar, não apenas largando livros na página 32, 112 ou 377, mas fazendo questão de deixar claro pra todos os seus contatos (afinal, vivemos nessa pós-modernidade líquida, e pra que serve isso tudo senão, pelo menos pra *isso*?) do Facebook. É apenas quando atingimos o desejo por anos reprimido de jogarmos um livro pro outro lado da sala, que atingimos o orgasmo múltiplo enquanto leitor.

Stephen King diz que devemos dar algo em torno de uma hora de leitura – ou algo assim – a um livro. Se ele não te fizer querer ir adiante após essa uma hora, então é porque é hora de dispensá-lo. King, toca aqui.

A vida é curta demais pra ficar nesse auto-flagelamento de levar um livro até o fim porque não se gosta de abandonar uma obra. Eu é que não vou desperdiçar meu tempo lendo algo que não me agrega nada. E quantas vezes simplesmente *não é a hora* de ler aquele livro que você se propõe a ler? Ou porque você não está bem por dentro para fazê-lo, ou porque você não tem repertório pra aquele tipo de leitura naquele momento, ou porque o livro é ruim, mesmo? Para cada grande autor, há pelo menos uns quarenta e nove pernósticos.

Como descobrir os grandes autores?

Ah, essa resposta é fácil: jogando fora o que quer que não valha a pena. E quem sabe a medida disso? Você. Seus acordos consigo mesmo/a, sua troca com outras pessoas que também leem. A vida, enquanto seres leitores ou seres humanos, deveria ser bem mais simples do que nós a fazemos ser.

Mas "minha culpa, minha máxima culpa"? Uma ova!

# O MOMENTO CERTO DE TUDO: DAS LEITURAS DA INFÂNCIA E DA NÃO-TÃO-INFÂNCIA ASSIM

Em meio a tantas leituras nos últimos tempos, passou-me pra cabeceira dos livros a serem lidos um título que julguei inusitado: *Senhor das moscas*, de William Golding, numa nova tradução publicada pela editora Alfaguara. Trata-se de um romance sobre um avião que cai numa ilha isolada e deserta, e, neste acidente, somente crianças sobrevivem. Presas na ilha, elas buscam governar a si mesmas, e, obviamente, isso não poderia dar certo. Tirando as metáforas sobre o bem versus o mal, as questões sobre a natureza humana e o bem comum, é um livro que costuma ser lido ainda na juventude – pelo menos dos jovens do hemisfério norte – e que só fui pensar em ler agora.

Isso, claro, remeteu-me às minhas leituras da infância que, logo de cara, tiveram dois aspectos muito estranhos: sabe-se lá por qual razão, não li *O Pequeno Príncipe*, clássico da literatura infantil, quando ainda estava na fase na qual geralmente se lê este livro. Só vim a lê-lo muitos anos depois, já pela metade da adolescência, quando o livro me tocou de uma outra forma, sem o olhar da criança. O outro aspecto foi: nunca li Monteiro Lobato. Nunca, nunca. E isso permanece assim até hoje. Tanto é que andei pensando, recentemente, em comprar uma caixa repleta de suas obras infantis, pra ver o que consigo retirar dali. Por que meus pais nunca me ofereceram esses dois livros na "idade certa" (discutirei mais sobre isso em breve) pra tal, permanecerá um mistério.

Por outro lado, tenho vívida lembrança da minha mãe me ofertando um livro antigo do Pedro Bandeira – *Trocando as Bolas* –, que ainda era de colorir (!!!), sensacional. Esbaldeime na história do menino cujo gato acabava caindo na fonte da praça e ele, ao invés de tirar o gato da água, resolveu tirar a água do gato, tirando o tampão lateral da fonte e esvaziando a mesma (simples, não?).

Em seguida, me veio a série *Vaga-lume*. Ah, a série *Vaga-lume*! Quem naquela idade que gostasse de ler – ou mesmo que não gostasse tanto – e/ou tivesse acesso a livros não passou por livros dessa série maravilhosa? Foi através de livros como *O escaravelho do Diabo* e dos livros de mistério do Marcos Rey que a literatura chegou e ficou de vez. Evidentemente, logo vieram outras coisas, como *O meu pé de laranja-lima*, do José Mauro de Vasconcelos, alguns da Ana Maria Machado, e também inevitavelmente, os livros do Sidney Sheldon. Todos se assomando naquela tenra idade entre os sete e os catorze anos, como um grande espiral de conhecimento, de leitura e descobertas... Quantas descobertas!

E é bem no meio disso tudo que algumas outras indagações perscrutam a mim, sem resposta. Por que só fui ler *O mundo de Sofia* já quase adulto? E *O sol é para todos* (*To kill a Mockingbird*), clássico da Harper Lee? E *O apanhador no campo de centeio*? Eu poderia ficar aqui listando títulos e títulos que geralmente as pessoas leem ainda na adolescência, muitos dos quais eu tive acesso ainda jovem e me passaram batido.

A minha tristeza não é mais nostálgica do que realista: o que fazer dessas obras agora, que são lidas com outro olhar, o olhar do adulto, já que o olhar ingênuo, singelo e pueril da criança me foi tirado com o passar do tempo no mundo, a maturidade do corpo e da mente? Apenas sento e lamento? Talvez seja mesmo essa a única opção, uma vez que o tempo não volta pra ninguém (e pra ser sincero, não faria mesmo questão de voltar pros meus anos de infância).

É um pouco triste ter a consciência de que aqueles livros, que pude ler em algum momento na "fase ideal", só foram lidos (e muitos nem foram ainda) num passado recente. Por outro lado, existe mesmo a "idade ideal"? Penso que, existe, sim. Sobretudo porque existe aquilo que já mencionei antes: o olhar da criança sobre o livro, que difere completamente do olhar do adulto.

Afinal, não é um pouco triste saber que, qualquer livro para criança ou adolescente no qual eu puser os olhos, atualmente, já avançando na casa dos trinta, será sempre uma leitura crítica que, querendo ou não, buscará compreender o que está nas entrelinhas, aquilo que está escondido nas palavras escritas pelo autor? Como deixar de entender essas coisas e voltar-se apenas para a pureza do olhar infantil? Ao menos pra mim, isso está, sim, perdido. Não completamente, mas significativamente. Não quero dizer que não se pode apreciar e admirar uma obra infantil depois de ter se tornado leitor com bagagem. Mas afirmo peremptoriamente que não conseguiria mais ler uma obra com aquele olhar que ficou perdido lá por volta dos sete, oito, nove ou dez anos, o que é algo que arrasa com a criança que habita em mim. Vai-se o olhar infantil e fica o quê no lugar? A vida, a duras penas.

## A MORTE E AS MORTES
## DOS ESCRITORES QUE ADMIRAMOS

Quando eu tinha uns 16 anos, me correspondia com uma escritora que havia publicado, dentre vários livros, uma biografia da Anne Rice (que na época da publicação deveria ter uns cinquenta anos) e, alguns anos depois, de Dean Koontz (que rondava a mesma faixa etária), a quem eu endeusava como uma espécie de Stephen King melhorado, mas que não passa de um pastiche, embora tenha seus bons momentos.

Nem quero entrar no mérito de se publicar ou não biografias de escritores que ainda estão no vigor do seu momento criativo, algo sobre o que eu nem pensava naquele tempo, mas que hoje em dia é fator preponderante pra eu adquirir ou não a biografia de determinada personalidade. Que diabos eu vou querer saber da vida de uma pessoa que, em teoria, ainda tem tanto a dar ao mundo (e possivelmente *vai*)? Que deixem pra quando esse povo morrer, que sai uma completa e com possibilidade de ser mais levada a sério, com a vida do cidadão ou da cidadã narrada do berço ao buraco.

Pois é justamente na morte desses escribas que eu quero chegar.

Você termina de ler um livro ótimo como há muito tempo não. Antes, para e pensa que aquele livro, um de vários outros já lidos de um autor que você tanto admira, aumentou ainda mais a sua admiração pelo sujeito. Em seguida, o pensamento: mas fulano já passou dos oitenta.

Se eu me preocupo com a morte deles? Mas é *claro* que eu me preocupo! É claro, também, que eu me preocupo ainda mais se eles vão produzir algo nos anos que lhes resta, num pensamento egoísta que deseja que o autor esteja ainda escrevendo no leito de morte, sem me dar conta, talvez, que assim como eu ou você, um dia vamos querer nos aposentar; uns querendo esquecer completamente aquilo no que um dia trabalharam, outros lembrando com nostalgia, mas acreditando que há muito mais a se fazer dali em diante.

Foi quando eu coloquei essa questão pra tal biógrafa da Anne Rice que ela se saiu com a seguinte frase: "Mas por que é que você se preocupa com a morte dessas pessoas?".

Eu me preocupo porque eu desenvolvo uma relação afetiva com essas pessoas, ainda que nós jamais nos conheçamos. Eu me preocupo porque o ser humano tem um negócio no cérebro que o programa para gostar de sentir prazer, e a gente tende a repetir tudo aquilo que nos faz se sentir bem (sexo, comida, livros, oi?), incluindo ler bons autores. Eu me preocupo porque, por algum motivo transcendental, é comum sentir aquelas pessoas como gente próxima a mim, se não fisicamente, ao menos no que diz respeito ao *humano*, e se essa humanidade delas foi capaz de me tocar estando ela onde estiver no mundo, então existe amor e amor, sabe-se, é matéria de salvação.

E quando você faz uma lista imaginária e se dá conta de que tem uma predileção pela ala geriátrica das editoras? Alice Munro, Philip Roth, Rubem Fonseca, Lygia Fagundes Telles, Joyce Carol Oates – todos beirando os oitenta ou os noventa.

Mas aí entramos na segunda questão: a morte de um escritor do qual gostamos é realmente uma perda? Em um nível particular, naturalmente que sim, pelos motivos já mencionados acima.

[Quando Sidney Sheldon morreu, em 2007, aos 89 anos, eu já não era seu leitor há vários anos. Mesmo assim, algumas lágrimas escorreram quando eu soube de sua morte. Afinal, era acompanhado dele que eu passava várias das minhas horas de lazer na adolescência].

Num sentido mais amplo, contudo, isso vai depender de quem era o sujeito e sua representatividade em âmbitos que, muitas vezes, vão para além das letras. O exemplo mais recente disso é o de Gabriel García Márquez, que será sentido não unicamente pelas histórias que escreveu, mas por seu [controverso] posicionamento político e suas amizades em Cuba.

O fato é que o impacto de bons livros e, por conseguinte, bons escritores, na vida de um leitor, não se limita apenas ao afeto em si mesmo, o que seria bastante reducionista. Uma obra pode nos atingir a ponto de nos fazer mudar o rumo de nossas vidas – e essa é a verdadeira autoajuda da literatura, muito antes desse caudaloso lamaçal que se tornaram as prateleiras das livrarias com livros dando dicas pra revolucionar nosso *modus vivendi*. Mas não só. Um livro de ficção pode conseguir nos fazer refletir, ponderar, descobrir e redescobrir. Como não reverenciar um objeto que vai para muito além dele próprio? Quantas coisas na vida te dão essa mesma oportunidade? Poucas. Quase nenhuma.

Tem ainda outro tipo de morte nessa história, e que, às vezes, é também muito doloroso e requer um tempo de luto: quando você descobre que um autor que você lê há muito tempo já não te toca nem te diz mais nada. É aquele momento depois que você já tentou ler uns dois livros desde o último que considerou bom. Será que, de repente, não era essa obra em particular que era meio ruim?, você se pergunta. Daí, tempos depois, você tenta de novo. Será que eu que não estou no momento certo pra ler este livro?, você se questiona mais uma vez. Na terceira tentativa, a retumbante certeza: o autor morreu. Morreu pra você. Se um dia aquele escritor te levou à loucura, te fez caminhar pelos mais belos jardins e apreciar tudo e o todo ao redor, te fez cancelar compromissos pra ficar em casa lendo – agora, não mais. Já era. Findou-se, como tudo.

Passei por essa sensação algumas vezes na vida e admito, foi doído pra cacete. *Como assim*, aquele escritor se calou pra sempre? Não apenas calou-se, como não representa mais nada? Essa deve ser, na verdade, a grande herança pra nós enquanto leitores. Seja através da morte física, ou seja porque o autor morreu para a nossa vida de leitor, o ícone está lá. Se em algum momento determinado escritor te era uma constante e deixa de ser, nunca duvide: algo dele ficou. Pode ter ficado no seu jeito sonhador de ser, ou no seu jeito inescrupuloso, ou realista, observador, questionador... mas algo, seguramente, ficou. Como fica também das pessoas que um dia passaram por nossas vidas e deixaram alguma marca.

Doer-se pelas mortes possíveis dos escritores que gostamos requer sempre a elaboração de um luto, a vivência desse momento melancólico e a certeza de que ainda há muito a se descobrir, a se ler, a horizontalizar, porque é observando o que vem adiante que prosseguimos com nossos próprios projetos de vida – e o que não nos faz desistir da nossa própria existência.

Quanto ao morrer? Paciência. Acontece. Mais dia, menos dia, não há o que vá ficar para sempre sob o sol.

## OS ESCRITORES QUE EU MATEI

Não sei precisar exatamente quando comecei a matar, mas foi ainda jovem. Na metade da adolescência, mais ou menos. Como isso já faz bastante tempo, não me lembro quem foi a primeira vítima. Mas sei relatar várias delas, por nome e sobrenome, e é isso que tenciono fazer, numa ordem aleatória, mas completamente real.

Por volta de 1997, li um livro de um escritor chamado Morris West. Era um dos clássicos dele naquela época, *As sandálias do pescador*. E pensei comigo: Ele já tem uma certa idade, eu vou escrever, porque vai que ele morre, e eu não digo a ele o que gostaria...

Escrevi uma carta pra ele e mandei pela editora dele no Brasil, que certamente mandou pra editora dele nos Estados Unidos, que deve ter colocado num pacote endereçado a ele... enfim, a carta chegou até o Morris West. Muito solícito, ele me respondeu. Nunca esqueci. Era uma carta curta, tinha uns três parágrafos de umas quatro linhas cada, mas ele dizia cada coisa linda, que até hoje eu reproduzo por aí.

Mas eu estava certo: Morris West morreu dois anos depois.

Outro que morreu no mesmo ano foi Mario Puzo, autor de *O poderoso chefão*. Eu nunca gostei de livros sobre a máfia, nem a italiana nem a de lugar nenhum, mas, adolescente, li este livro e me vi virando as páginas onde quer que eu estivesse: lia o livro na fila pra pegar o ônibus, no banheiro, antes e depois das aulas. Completamente envolvido, escrevi um e-mail para o autor, que me respondeu com uma singela linha: obrigado por ler os meus livros, Mario Puzo. Tudo bem. Eu não esperava – e nem queria – juras de amor eterno. Mas confesso que fiquei um pouco... chateado com a pouca atenção, digamos. Não me surpreendi quando, poucos meses depois, entrei num site de notícias e li sobre sua morte.

Mandei também uma carta para outro autor que li na época: Arthur Hailey. Arthur era famoso por escrever livros a respeito de temas que estivessem bombando no noticiário por algum motivo, o que fatalmente faria sua exposição ser alavancada à estratosfera, e o livro venderia como água. (É, esse era o tipo de coisa que eu lia naquele tempo) Assim, ele escreveu sobre a indústria automobilística, aeroportos, bancos, a indústria farmacêutica etc. etc.

Escrevi pra ele em 2003. A esposa dele me respondeu no mesmo ano. Muito solícita e simpática, afirmou que o marido continuava a escrever, mas, por estar velhinho, escrevia num ritmo cada vez mais lento, e me mandou uma foto dele, atrás da qual ele autografou, após haver escrito uma singela mensagem de agradecimento pra mim. Morreu dormindo no ano seguinte.

Mandei também uma carta para Marion Zimmer Bradley, famosa autora de *As brumas de Avalon*, livro que eu comecei a ler umas trezentas vezes, mas nunca terminei, pedindo um autógrafo dela pra uma pessoa que a adorava, mas, se ela recebeu, não pôde responder, porque morreu uns dois meses depois que eu enviei a carta.

Uns nunca responderam, mas como morreram pouco tempo depois, sei que receberam minhas cartas.

Sidney Sheldon, outro autor que eu lia na adolescência, também foi assassinado por mim. Eu pensei: vou escrever pra ele. O bichinho está tão velhinho, eu preciso dizer a ele o quanto fui influenciado por seus livros no tangente ao gosto pela leitura e por descobrir coisas outras (e melhores que ele, claro, mas isso seguramente ficaria de fora da carta). Ele me mandou uma foto autografada quase do tamanho de um pôster de filme e morreu no mesmo ano.

(Aliás, que pessoal vaidoso! Eu peço autógrafo, recebo fotos autografadas. Tsc, tsc...)

Mas eu não matei apenas escritores estrangeiros!

Escrevi larga e fartamente para o Marcos Rey, entre 1995 e 1999. Escrevi uma carta pra ele, em dezembro de 1998, na qual eu dizia que ele se cuidasse mais (em uma carta recente, ele reclamara da saúde), porque eu não gostara do tom da carta anterior, meio deprimido. Ele me respondeu, em fevereiro de 1999, e morreu no dia 1º de abril daquele mesmo ano.

Fernando Sabino morreu depois de responder minha terceira carta, de um ano para o outro.

Moacyr Scliar, quatro meses após minha carta. Fechei luto durante a maior parte de 2011.

E o que dizer da Lúcia Machado de Almeida, célebre autora de *O escaravelho do Diabo*, um dos livros mais famosos de todos os tempos da série *Vaga-lume*? Quando eu soube de sua morte, passei uns dois dias em que mal comi e bebi. Principalmente por um fato: eu havia escrito, na noite anterior, uma carta pra ela, que ainda estava guardadinha, dentro de um envelope, e que seria enviada no dia em que ela morreu.

Concluí, muito cedo na vida, que minhas cartas aos escritores estavam matando-os. E eu nem precisava de anthrax, aquele pozinho que andou metendo medo em metade do mundo lá pelo começo dos anos dois mil. Acho que a derrocada das cartas começou ali: ninguém mais tinha coragem de abrir envelope.

Muitos e muitos outros casos poderiam ser narrados aqui. E não apenas com escritores, mas também com cantores. E se não aconteceu também com atrizes e atores, foi só porque eu não quis escrever pra seus estúdios mundo afora, creio que por preguiça mesmo.

    Dois casos na música: eu conheci Amy Winehouse pelo seu álbum *Back to Black*. Gostei imensamente. E pensei: não vou ouvir seu álbum anterior, *Frank*. Quando ela morrer, quero ter algo inédito dela pra ouvir. E pimba!, não deu outra. No ano seguinte a este pensamento, ela morreu. A mesma coisa aconteceu com Whitney Houston. E até hoje tenho álbuns dela inéditos. Ao menos pra mim, que ainda estou vivo.

    Alguns resistem bravamente – ainda bem! Rubem Fonseca e Lygia Fagundes Telles, que me responderam, continuam aí, mesmo depois de já quase vinte anos da primeira carta. Esses são O Mistério.

    Em que pese todas essas tenebrosas coincidências (?), essa é uma constatação real através dos tempos. E eu sempre me questiono: que super sentimento é este que eu tenho, que sinto quando certos autores/artistas vão morrer? Nunca fui em terreiro de macumba nem centro espírita pra tentar me informar. Talvez um dia eu vá, não sei.

    O fato é que pensar sobre isso me fez também pensar nos escritores que acabamos por matar porque queremos, porque desejamos ou precisamos, pra abrir espaço, ainda que a fórceps, pra perscrutarmos outros caminhos na vida.

    O que torna um grande amor de outrora, num autor relegado ao esquecimento? Mudou o autor ou mudamos nós, leitores?

    Quero crer que, na maioria dos casos, mudam os leitores, que passam a ter outras necessidades, a vida vai trazendo outro tipo de vontades, leituras mais densas, personagens mais bem-escritos. E no final compreendemos que o ritmo do livro, algo que outrora tendíamos a supervalorizar tanto, acaba nem sendo tão importante assim. Desta maneira, Dean Koontz,

Robin Cook, Jeffery Deaver, e tantos outros autores que, ano após ano, costumam entregar o mesmo tipo de obra, vão paulatinamente sendo substituídos por outros, que têm mais chances de serem carregados pela vida inteira.

Parece-me que é chegado um tempo em que tendemos a compreender que a vida é mesmo um sopro, que ao longo do tempo o corpo vai sofrendo implacáveis mutações, e as limitações impostas vão sendo notadas, ainda que a contragosto. Com isso, a clara certeza de que não há tempo pra ler tudo, nem nunca haverá. Ávidos leitores perceberão que já houve tempo demais antes deles, o mundo já é mundo há muito tempo, pra que possamos ter a ambição de ler todas as obras clássicas e contemporâneas de um (vários) universo que já se descortinou há milhares de anos, enquanto nossa própria cortina se fecha em algumas décadas. O retrato é sombrio? Nem um pouco.

Primeiro porque, como para tudo numa existência, é preciso termos seletividade. E saber peneirar, aliás, descobrir como fazê-lo, é muito bom. Hoje, por exemplo, eu não me forço a levar até o fim um livro que eu ache ruim. Pra quê? (Lembra daquela história de que a vida é curta? Pois então!). Segundo, porque não sou masoquista.

E por último, mas não menos importante: a morte fascina. Por isso o sucesso dos thrillers, dos livros policiais e de suspense, em praticamente qualquer época e chegando até os dias de hoje.

Ora, e quem não gosta de desatravancar o caminho, tirando de vista o que não presta? Um viva à morte daqueles autores que elegemos pra morrer! Seja por um desejo assassino reprimido, seja porque você enjoou, porque a vida te trouxe autores melhores, ou simplesmente porque você quer fazer novas descobertas literárias… Afinal, ainda que eu morra adorando Philip Roth, um dia chegará a minha hora de desembarcar.

Passado o tempo, novos autores adentraram em minha vida. Fiz amizade com alguns deles. E estão todos vivos, benzadeus!

Desconfio que é porque hoje a correspondência se dá pelo Facebook.

# COLOCANDO FOGO NA BIBLIOTECA

Era o castigo na escola onde estudei na infância. Fez alguma coisa errada, mas a professora se apiedava e não enviava para a sala da coordenação, onde a punição poderia ir de diretor berrando seus cuspes bem diante da nossa cara a chicotadas e outras modalidades de açoite (pelo menos na nossa imaginação)? *Pois vá para a biblioteca.* A frase era dita lentamente, pronunciando com dureza cada uma das palavras. Quando o professor terminasse de dizer *biblioteca* já era pra estar lá, sentado a uma mesa e folheando, sei lá, *Pollyana moça*.

Pela minha lembrança, fui mandado poucas vezes para a biblioteca. Não porque eu fosse bonzinho, mas porque minhas traquinagens já eram nível corredor da morte, com pedidos de suspensão e expulsão da escola. E também porque – logo ficou evidente – mandar que eu fosse para a biblioteca não se configurava em punição. Como não gostar de ficar numa sala com ar-condicionado (as salas de aula não tinham), na companhia de uma bibliotecária que precisava de um megafone diante de si pra gente ouvir o que ela dizia (isso *quando* ela resolvia falar) e uma dezena de mesas com-ple-ta-men-te desocupadas, me convidando a conviver apenas com o meu silêncio? Delícia, eu diria. E era mesmo.

Para os muitos colegas que foram parar naquelas masmorras, penso mesmo que era um suplício. Se algum deles hoje em dia ler algo além dos *outdoors* nas estradas, isso deve-se a algum tipo de milagre invisível que só quem concede é capaz de compreender, por que quem diabos iria se afeiçoar a livros tendo na biblioteca o seu próprio calabouço? Sem chance.

Pode-se especular que, o mais provável, é que estes quisessem tudo, menos estar num ambiente repleto de livros, na mais absoluta quietude e serenidade, onde não podiam cortar o cabelo de ninguém, esconder bolsas e mochilas nem se comunicar através de papeizinhos jogados de uma extremidade a outra da sala – pelo simples motivo de que não havia com quem, e a única pessoa passível de interação estava muito bem protegida atrás de um balcão não muito convidativo. Dessem a eles álcool e fósforos, era provável que ateassem fogo e ganhassem a liberdade.

Eles não foram os únicos, entretanto.

A bíblia já traz um exemplo de que sempre houve gente querendo destruir livros. Bom, nesse caso, pergaminhos, mas para fins de ilustração vamos pensar que eram os livros possíveis daquela época. Em Jeremias 36, lê-se que o rei de Judá queimou os pergaminhos de Jeremias, que ele havia ditado tão diligentemente para Baruque, na intuição de que as palavras fossem lidas no Templo do Senhor. Se isso já acontecia no século VII A.C., imagine quantas vezes isso não aconteceu de lá pra cá? Claro que não vamos nos ater a essa contabilidade, porque são favas perdidas e não há vida que chegue para tanto. Ah, antes de prosseguir para o próximo caso, vamos ao final dessa história: compadecido, o Senhor mandou Jeremias ditar as *mesmas palavras* novamente, e deu certo escrever um novo pergaminho. Gente boa, o Senhor, que deu essa benção ao Jeremias, de lembrar palavra por palavra do que tinha dito antes e refazer o documento.

Ah, mas você é ateu e não acredita nessas coisas? Tudo bem, não tem problema. Sendo assim, o "primeiro registro" de livros queimados se deu em 213 D.C., naquelas já sabidas (e pelo visto, praticamente atemporais) decisões governamentais de que certos conhecimentos são perigosos demais para o público porque poderiam causar mudanças sociais que, claramente, praticamente governo nenhum deseja ter. Mas então, o que aconteceu? O governo chinês queimou todas as cópias existentes dos livros de Confúcio, exceto por uma única cópia de cada, que foi guardada na Biblioteca estadual chinesa sabe-se lá por qual motivo obscuro.

A queima de livros continuou história adentro, mas uma das maiores de que se tem notícia até hoje aconteceu um pouco antes da Segunda Guerra Mundial. No dia 10 de maio de 1933, mais de 25 mil livros foram queimados por apoiadores do nazismo. A intenção desse pessoal? Construir uma Alemanha pura ao fazer com que a arte e a cultura, a partir dali, reproduzisse unicamente os objetivos do partido. Tudo antes disso deveria sofrer um natural apagamento, por assim dizer. Como os movimentos partiram de universidades, eram em seus terrenos que a maior parte dos livros foi queimada. Assim, livros de autores judeus foram, evidentemente, jogados às chamas, bem como livros de Ernest Hemingway, Karl Marx e tantos outros.

Em pouco tempo, além de queimar livros, acabaram queimando seres humanos, mas essa já é uma outra história.

Trazendo esse ato algumas décadas para mais perto de onde estamos agora, livros também foram queimados não porque continham um suposto conteúdo político contrário ao pensamento de quem detinha o poder (inclusive de destruir os livros), mas porque ensinavam meninos e meninas a transformar pessoas em, sei lá, esquilos, assim como a adorar o demônio. Estou me referindo, claro, ao *Harry Potter*, um dos livros mais vendidos de todos os tempos no mundo todo (algo hipnotizante a esse ponto só pode ser do demo, claro) porque, claramente, também ensinou toda uma geração de crianças, jovens e não tão jovens a gostar de ler. Quase uma dezena de atos de queima de exemplares de *Harry Potter* foram registrados nos Estados Unidos. Em sua maioria, promovidos por pastores em suas igrejas.

É quase impossível não se sentir um bocado triste se formos pensar no que de fato representam esses gestos ao longo dos tempos. Volto-me para aquela biblioteca que servia de prisão temporária para quem se comportasse mal em sala de aula, num tempo em que não havia celulares nem *tablets*, e lembro de, por um motivo ou outro, passar diante da porta e ver um menino ou menina sentado numa cadeira, com um papel ou um lápis abandonado diante deles, olhando estaticamente para uma parede, como se tivessem sido lobotomizados. Mais triste do que imaginar que aquelas crianças fariam qualquer coisa para escapar dali, é saber que, estando diante de milhares de exemplares contendo cada um o seu universo particular, elas não faziam questão de entrar neles. De onde se pode concluir que pior do que queimar livros é perder a oportunidade de lê-los.

## O LEITOR TRANSFORMADO

Há coisas que são indissociáveis a uma certa vivência. O entendimento do que sejam bons livros, por exemplo. Não que eu seja de fazer julgamentos; cada pessoa lê o que quiser, e eu acho que em se tratando de literatura, é válido, sim, ler o que der vontade. Já disse isso outras vezes e torno a dizer: aquele que quer se firmar como leitor vai, lentamente, sentindo mais fome, buscando outros desafios, galgando outros degraus. E quem quiser ficar eternamente com Zibia Gasparetto e Nicholas Sparks, paciência, cada um também é livre pra fazer as escolhas que melhor lhe apetecer.

Refiro-me aqui ao entendimento íntimo e particular, àquele provocado pela ação transformadora do tempo, capaz de dizimar certezas pré-estabelecidas. Quem nunca amou tanto um escritor que achava que leria seus livros durante toda a vida e, de repente, suas obras emudecem, incapazes de proferir qualquer coisa que seja que ressoe dentro do seu eu leitor? Eis aí o momento em que novos amores aparecem em nossas cabeceiras, se perfilando melhor com nosso novo momento.

Certa vez, ainda adolescente, tive a ousadia de mandar textos meus para a escritora Marina Colasanti ler e me dar um retorno. Dizia eu na carta que acompanhava os textos que uma das minhas referências era o Marcos Rey (e sua obra adulta). Quando ela me escreveu de volta, além de apontar o que considerava serem os pontos altos e os baixos naqueles meus contos imberbes, disse: "Você não acha que seria o caso de começar a ler Rubem Fonseca ao invés do Marcos Rey?". Anos depois ela me explicou que não era nada contra Rey, ela apenas achava que, diante do que eu tinha enviado para ela, era a hora de me ver inundado por alguém que tinha uma obra cuja leitura coadunaria mais com o que eu vinha escrevendo. Não foi o caso de deixar de ler Marcos Rey (ainda o leio, e ele ainda é um dos escritores que eu mais admiro), mas de fato, naquele momento, Rubem Fonseca chegou para se instalar na minha vida. Com a força que a sua literatura tem.

Mudanças grandiosas acontecem assim. Sutilmente. Alguém vem e te mostra um tipo de escrita com o qual você nunca havia se deparado antes, e aquela literatura se mostra de tal maneira transformadora que sua vida de leitor passa a ser dividida entre antes e depois do tal evento, muitas vezes ressignificando aquilo que você havia lido antes.

Da mesma forma também se dão as descobertas feitas aos poucos, fruto daquele desejo de que algo cresça para além do que você já conhece (e que muitas vezes você nem sabe). Nos últimos anos, por exemplo, tenho descoberto inúmeros excelentes escritores e escritoras publicados por pequenas editoras – as chamadas editoras independentes. São pessoas que, como eu, têm seus livros publicados em tiragens menores, não chegam a todas as livrarias, mas que estão na luta por um lugar na cabeceira dos leitores. E que têm conseguido, a fórceps, abrir esse espaço. Hoje, não me vejo deixando de buscar, garimpar, esses pequenos-grandes achados. Ainda leio mais livros de grandes grupos editoriais? Sim, sem dúvida. São eles que detêm o poder econômico para publicar obras de autores estrangeiros e nacionais de maior nome e repercussão; é, portanto, um caminho inevitável.

Essa, porém, é só mais uma das mutações porque passamos no constantemente transformado caminho do nosso eu-leitor. Quem poderá dizer o que virá depois?

O Tempo.

# VENDER LIVRO DE PORTA EM PORTA NA ERA DA AMAZON

Ronaldo foi até a mesa onde havia colocado os livros que retirou mais cedo do estoque na noite anterior e os colocou dentro de uma maleta, com cuidado, porque era importante que eles não tivessem qualquer tipo de dobras ou marcas, já que dali ele partiria para um centro comercial onde esperava vender pelo menos um dos exemplares. O lugar era o primeiro de uma série de estabelecimentos que ele visitaria até o sol começar a se pôr, instante em que os pássaros vinham em revoadas para as copas das árvores. Quando eles chegavam, ele sabia que seu expediente havia chegado ao fim.

Era assim desde que criaram a editora, com sede na pequena cidade de interior onde morava. Nunca fora um sonho dele ser editor, nem necessariamente trabalhar com livros. Mas ser editora era o sonho de Lia, a mulher que ele amava, e com um pouco de insistência e persuasão, ele se viu enredado na construção desse castelo. Deram à editora um nome curto, fácil de lembrar, que remetia a ideia de dois iguais seguindo juntos.

Com um ano de editora, Ronaldo e Lia foram capazes de articular eventos tanto na cidade onde se localizava a empresa como em cidades vizinhas. Tinham por certo, de maneira sólida, que fundar uma editora era justamente ser capazes de tirar o outro de seus lugares de conforto; dar a homens e mulheres a oportunidade de irem além dos mundos que conheciam – e se surpreenderem com o universo da arte literária.

Tarefa árdua e tantas vezes inglória, a deles dois. Quando queriam esmorecer, lembravam dos amigos que fizeram, daqueles que ajudavam a divulgar a editora sem pedir por isso, das múltiplas formas de pensar e escrever dos escritores que publicavam e por último, particularmente, de um livro do seu pequeno catálogo que havia sido indicado a um dos prêmios nacionais de literatura mais importantes. Era naquela hora que eles se sorriam e se sabiam. Entendiam que agora, caminhando para o segundo ano, muito da visão romântica do fazer literário se dissipara – ou fora dizimada pela realidade, que não falha. Mas não tinham saudades das vidas que viviam antes. Era sempre dali pra diante.

Foi com todo esse sentimento arraigado dentro de si que Ronaldo subiu as escadas que levavam em direção às lojas. Bateu na porta de médicos, advogados, até de professores. Não, não, não, ouvia. Uns se livravam dele como quem se livra de Testemunhas de Jeová que batem à porta às 7 da manhã. Outros, tentavam ainda se justificar de alguma maneira, que invariavelmente era: Não tenho tempo para ler, a desculpa mais canalha de todas, quando se tenta justificar um comportamento por não priorizá-lo.

Ronaldo sabia, no entanto, do dever que tomara para si, como se estivesse enraizado nele. À noite, conversava longamente com Lia sobre os dissabores e as angústias, que eram muitas. Como sobreviver, sendo pequeno, num mundo onde as pessoas cada vez mais escapolem para o virtual, para a imensidão das telas multicoloridas, para empresas que vendem dando grandes descontos e enviam rapidamente, com frete grátis?

Era muito mais do que perseverança, e eles sabiam. Era unir-se a outros como eles, era formar redes de amigos que se intercomunicam em busca de leitores.

As estradas se constroem através da junção de vontade e ação. Vontade eles tinham. Atitude nunca lhes faltou. E é por isso que Ronaldo e Lia sabem que vivem dentro do seu próprio milagre, outro nome para aqueles que insistem em sonhar.

# UM AMOR (LITERÁRIO) REDESCOBERTO

Quem tiver mais de trinta e cinco anos (e eu estou sendo bem generoso) e nunca tentou, pelo menos uma vezinha, voltar a amar alguém do passado, que atire a primeira pedra.

As razões são muitas, mas parece que grande parte do ser humano é chegada a um *revival*. Não que a gente não saiba onde a tentativa de reenlace vai acabar na maioria das vezes: nos mesmos choros e mágoas, só que numa versão atualizada.

Da mesma forma é quase impossível, para quem é um bom leitor, não voltar a abrir, nem que seja por um breve instante, aqueles livros de autores que, em determinada época, faziam você varar a noite lendo e ir para a escola, faculdade ou trabalho no dia seguinte com os olhos em chamas.

Passei por isso recentemente e confirmo: é melhor evitar.

Um belo dia qualquer acordei e lembrei, com uma ênfase tão assertiva que me intrigou, que há tempos eu não lia um autor de quem já lera quase tudo. Éramos, eu e os livros do tal escritor, desses amores arrebatadores, de me deixar prostrado sobre uma cama, sem me importar com o eventual desabar do mundo ao meu redor.

Durante as primeiras páginas, tive aquela sensação de quase alegria. Eu reconhecia o estilo, comecei a lembrar de palavras que ele sempre utilizava e que tanto me confortavam, fechei o livro com o dedo momentaneamente apenas para lembrar dos tempos de outrora, debruçado sobre o mesmo autor.

Foi então que eu me dei conta do óbvio inevitável: eu era outro naqueles tempos. Com menos leitura do que nos dias de hoje, aquele livro me raptava para lugares e sentimentos universais, mas desconhecidos para mim. Hoje, porém, nos olhávamos como duas pessoas que não precisam mais uma da outra, como um casamento que, ambos sabem, foi bom enquanto durou.

Era certo que, tal como um velho amor, é melhor deixar os momentos felizes apenas na lembrança, sob risco de arruinar, numa forçação desnecessária, até mesmo o que de bom se viveu.

Há exceções, é claro. Já reli autores depois de muito tempo que voltaram a valer a pena, assim como já vi amores voltarem depois de anos, às vezes décadas, e entenderem que sim, era ali que era pra coisa ter começado de fato. E deu certo. Mas, em ambos os casos, é como vencer na mega-sena da virada. E sozinho, ainda mais.

Um bom exemplo disso foi a recente (re)descoberta de Lygia Fagundes Telles, a quem li ensandecidamente na adolescência. Depois, li mais alguma outra coisa no começo dos vinte anos e, em seguida, o limbo. Lygia virou aquele tipo de escritora que eu admirava, mas que havia virado para mim um mistério. Hoje, caminhando para o dobro da idade, o que sentiria eu ao lê-la? Peguei um livro de fragmentos. Gostei de algumas coisas, não gostei da maioria. Tentei então reler alguns contos. Foi quando compreendi que era ali que o amor estava. Percebi as nuances da escrita da Lygia. Como ela consegue escrever sobre a crueldade da natureza humana com sutileza. As formas como ela desenha toda a trama de modo a seduzir o leitor, a nos enredar pelos seus caminhos... Estava tudo lá. Para a minha felicidade, éramos eu e ela, juntos de novo, nos sorrindo. Sem dúvida, nos víamos, eu e o livro, de forma diferente. Mas nos reconhecíamos com um olhar astucioso e cheio de encantamento.

Compreendi então que um amor redescoberto é também um amor reconquistado.

## SER OS OLHOS DE ALGUÉM

Fecho o livro que estou lendo e olho para o exemplar entre as mãos. Passo os dedos por ele, como a acariciá-lo, sem dúvida nenhuma sentindo-o daquela maneira que nos faz percorrer a memória, alígera em reativar lembranças, reais ou inventadas.

Quando cheguei à lombada, antes de um laranja forte, quase brutal, vi que agora ele não passa de algo sem vida, tão esmaecido que sequer se parece com qualquer cor facilmente reconhecível. A capa, apesar de velha e opaca, continua intacta. E o laranja da lombada, que terminava na capa, agora permanece apenas nesta última. Toda a circunferência do livro, antes branquíssima, agora tem a aparência de algo que andou sendo esfregado no barro.

Não lembro desde quando o possuo; acho que ainda é da época que eu costumava roubar livros, não sei ao certo. O que é certo, isso sim, é que pego neste livro para tocar as lembranças: meu exemplar está assim porque eu quis ser a mão que ergue pontes, fiz da posse um ato de comunhão.

Acabou-se aqui o lirismo.

Não sou guru, guia espiritual nem pai de santo, mas eu posso trazer o seu gosto pela leitura em até três livros ou devolvo você ao seu universo não-literário sem questionar suas escolhas mundanas. E esta crônica é para vender meu peixe, porque não existe profissional considerado um *case* de sucesso se não tiver exemplos para dar, não é mesmo?

Pois bem: em dois mil e alguma coisa, conheci um garoto muito mais novo do que eu que por acaso era meu aluno. Percebi nele um olhar questionador. Aquilo que outros professores diriam que era um olhar de quem é "perdido no mundo". Eu nunca achei alguém que se julgasse *encontrado* no mundo (e não me venha falar em figuras como o Papa e o Dalai Lama. Esses, coitados, devem comer um dobrado pra passar a imagem de santidade que tentam passar. Não porque sejam hipócritas, mas pelas pessoas que os cercam; mas isso é outra história e não podemos perder o foco da apresentação), logo, tal afirmação é de um vazio só encontrado nas barrigas dos que têm fome. O menino, na verdade, era um garoto de quinze anos por demais curioso. Tudo lhe interessava. Seu destino de vida eram as descobertas. Então um dia ele me disse enfaticamente que não gostava de ler. Guardei a informação para mim sem muitos questionamentos. Quando a gente encontra alguém com tão determinada certeza, não adianta argumentar assim que a informação enfática é dada; é pregar no deserto, vão por mim.

Nas férias, o menino quis continuar estudando inglês, e as aulas foram transferidas para o meu escritório, onde está parte da minha biblioteca. No meio da aula, pedi licença para tomar água e ir ao banheiro. Tudo pensado estrategicamente, claro, porque alguém que oferece os meus serviços precisa de uma mente ardilosa. Ora, não deu outra: na volta, peguei-o observando as minhas prateleiras, certamente em busca de algo que chamasse a sua atenção. Mas também fiquei calado, porque como não nasci antes de ontem, se eu perguntasse algo ele ia apenas dizer, Estava olhando as prateleiras porque já terminei o exercício e não tinha nada pra fazer. Então, apenas deixei a curiosidade tomando forma e fermentando dentro dele. Quando a última aula chegou ao fim, ouvi a frase, naturalmente: Você me empresta uns dois livros desses pra eu levar pras férias? Dentro de mim, pleno verão. Por fora, sorri calculadamente e disse, Claro! Quais você quer levar? Aqueles que você sugerir, ele disse. Procurei pelas prateleiras duas obras que eu achava que iriam fazê-lo querer ler outras. Poucos dias depois, recebi uma ligação, da cidade onde ele estava: Marco, meu irmão está indo a Fortaleza. Ele poderia passar na sua casa para pegar mais uns dois outros livros? Já li aqueles que você me emprestou.

Fez-se um leitor.

Antes desse caso, conheci uma menina formidável, admiradora de figuras antigas e novas da MPB, admiradora de teatro, mas de pouca experiência com a literatura. Fomos apresentados por um amor que passou. Ela ficou, e ainda está. Como sempre me via com um livro, foi me falar do que a ela era apresentado e do que ocasionalmente lia. Nada que não estivesse sendo lido por meninas de catorze ou quinze anos, quando ela já contava mais de vinte. A amizade prosseguiu, eu continuei a falar do que andava lendo – porque não tem jeito de não falar de literatura em quase qualquer conversa – e em certo momento, a pergunta inevitável: O que você sugere que eu leia? Eu disse, ainda que lançar a ela aquela lista de nomes desconhecidos, por si só não lhe diria muito. Tentei falar o porquê, em poucas palavras, sobre cada um. Ao final, ela estava convencida. Dei a ela de presente alguns livros da minha biblioteca – é preciso saber conquistar o leitor em potencial – e hoje continuamos a compartilhar leituras e impressões de leitura.

Para ser esse olhar que busca dentro do outro os livros possíveis que os transformarão em leitores, o caminho é simples: tudo que eu preciso é que você se sente comigo, me conte como é sua casa, seu quarto, que relate como é um dia típico na sua vida. Falar um pouco dos seus gostos também é essencial. Garanto a você: em dez minutos, você já sairá com a sua primeira dica literária, que em alguns anos fará de você o leitor da obra que quiser, capaz de comentar com os outros sobre que aspecto literário desejar.

Interessados, ligar para:

## INDEPENDÊNCIA E/É VIDA

Como muitos, comecei a relação com a escrita ainda na infância. Era uma forma de dar vazão à criatividade e a uma vontade atávica de contar histórias, e não só: era uma maneira de escapar de uma realidade que por vezes me causava fadiga de viver.

Escrever era então uma maneira de apagar a vida que vivia, e em seu lugar construir uma outra. Tão diferente, precisava essa outra vida ser, que seus aspectos só tocavam os da minha própria vida quando adentravam nas histórias como forma de subversão.

Ter crescido nos lugares onde cresci e me tornado um leitor voraz quando criança, aliado a uma curiosidade por novas e constantes descobertas, tornou-me, peremptoriamente, força motriz para que meus cadernos se enchessem de palavras.

Corte no tempo.

Muitos sonhos realizados e não realizados depois, o desejo, que não dá tréguas, emerge: decidi publicar as imperfeições dos meus pensamentos num *blog*. Foi a senha para conhecer duas pessoas que me levaram ao mundo editorial, que se abriu de maneira onírica. Via-me, anos e anos depois, encarado pela antiga vontade. E se escrever pudesse se tornar não apenas um expurgo, mas passasse a ser algo feito para ser disseminado através do objeto livro? Era esse o convite, para o qual relutei. Inconscientemente, eu sabia dos desejos reprimidos e dos sonhos adiados. Era a legítima defesa do medo. Quem vive de literatura no Brasil, além de uns três ou quatro gatos pingados? Lembrei-me que antes da profissão de escritor vinha uma outra, a de professor. O caminho era seguir com as duas, e foi.

Publiquei meu primeiro livro, esta reunião de crônicas cujo mote é sempre a literatura, por uma editora independente que fez um ótimo trabalho com meu livro. Todos os envolvidos eram aprendizes, mas o resultado ficou muito bom. Envolver-me com a publicação por uma editora sem grande poder aquisitivo significava ser também o agente de publicidade da minha própria obra. As redes sociais estão aí pra isso, e esse papel elas cumprem bem. Alguns meses depois, a primeira edição estava esgotada.

Um caminho outro caminho gera, como nos ensina Robert Frost. Depois do livro de crônicas, foi inevitável retomar o meu primeiro sopro criativo, o da ficção, que, na verdade, nunca me abandonou. Durante muitos anos, após uma experiência frustrada com literatura em inglês na sala de aula – onde eu pedia para que meus alunos lessem contos de autores consagrados, que escreviam com uma linguagem muitas vezes de difícil compreensão – voltei a escrever meus próprios contos. Dessa forma, eu imprimiria um ritmo mais contemporâneo e falaria de temas mais caros a eles, tudo sob pseudônimo porque não era do meu interesse que eles tivessem receio de criticar o conto por ser o professor – portanto, quem os avaliaria – o autor dos textos. A empreitada deu tão certo que logo alguns alunos queriam saber onde poderiam conseguir mais textos do mesmo autor – o que gerou meu primeiro problema, porque logo eles iriam pesquisar na internet sobre o autor e não encontrariam nada – e somar dois mais dois era o passo seguinte.

*Todo naufrágio é também um lugar de chegada* foi publicado pouco mais de um ano depois pela editora Moinhos, uma pequena casa editorial capaz de fazer livros grandiosos.

Agora num livro de contos, eu sentia estar exercendo a melhor parte do meu potencial criativo, escrevendo sobre a condição humana através da ficção. Foi através do meu editor, contudo, que conheci de verdade o universo das editoras independentes, para o qual olhava anteriormente, confesso, com um gesto de suspeição que nada mais era do que o nunca simples preconceito. Foi através dele que descobri outras editoras independentes e seus autores e livros. No momento que passei a lê-los, conheci não apenas autores de grande envergadura, como compreendi que há muita gente escrevendo obras de fôlego e relevância e que estão fora do circuito das grandes editoras.

Nos últimos anos, livreiros, livrarias, feiras, bienais, jornais, revistas e premiações também têm descoberto a relevância desse nicho, e passaram a dar mais espaço ao que se faz dentro dele. Parece que pouco a pouco a compreensão de que o espaço do fazer literário é muito mais amplo do que as obviedades de sempre, se perfaz nos imensamente diluídos e controversos ambientes de fomento cultural.

Há uma certeza, porém: estar inserido no meio editorial independente não significa ser um *outsider*. Significa viver o melhor dos dois mundos, com a liberdade criadora sendo força impulsionadora para querer, ainda mais, que o que se tem a dizer seja dito e chegue às pessoas.

E ter a liberdade para criar é viver do lado de cá da cela, é ter o mundo ao seu dispor e tornar o inexprimível em potencialidade artística, é tocar o outro com a sua própria humanidade, como quem diz: Repara como somos tão diferentes e, mesmo assim, podemos existir juntos.

Existir junto: esse é o verdadeiro sentido de toda expressão em forma de arte.

Este livro foi composto antes que a quarta-feira de cinzas se iniciasse em 2017. O livro foi composto nas fontes Adobe Garamond Pro e Gotham no papel pólen soft para a Editora Moinhos pela gráfica Formato enquanto Geraldo Azevedo com os anjos queria cantar.